Caligrafía

nancy ouchida-howells

Parramón

Índice

CRÉDITOS DE LAS ILUSTRACIONES

Las ilustraciones mostradas en las páginas 3 y 4 fueron proporcionadas por Topham Picturepoint, P.O. Box 33, Edenbridge TN8 5PF, Reino Unido.

AGRADECIMIENTOS

La autora desea hacer constar su agradecimiento a todos sus profesores y alumnos, que tanto le han enseñado; a David Howells, que le ha aconsejado y ayudado en la corrección del texto, y a todo el equipo de Axis Publishing por su difícil trabajo.

Introducción

Toda escritura ha evolucionado a partir del arte. Los vestigios más antiguos que se conocen de la actividad humana son las pinturas que los habitantes de las cuevas realizaron en las paredes para conmemorar la caza. Poco a poco, a lo largo de 20.000 años, las pinturas se simplificaron en cuanto a la forma mientras ganaban simbolismo, como evidencian los pictogramas o ideogramas del sistema de escritura cuneiforme de los sumerios y los jeroglíficos de los egipcios. El primer alfabeto occidental que representó los sonidos fonéticos lo escribieron los fenicios sobre tablillas de barro alrededor del 2000 a.C. A medida que el centro del poder se fue desplazando alrededor del Mediterráneo, los griegos, los etruscos y, más tarde, los romanos modificaron el alfabeto hasta llegar a las veintitrés letras que utilizamos en la actualidad. Posteriormente, con el desarrollo del lenguaje escrito, se añadieron las letras "J", "U" y "W".

Plumas y pergaminos

Los romanos emplearon tres métodos distintos de escritura: el estilete sobre tablillas de cera o barro; el cincel en la piedra, para grabar las mayúsculas clásicas —de bellas proporciones y que hasta hoy nos sirven de inspiración— en los monumentos y los edificios públicos; y el pincel en forma de escoplo y la caña para trazar las mayúsculas rústicas. Siguiendo a sus ejércitos, la literatura de Roma también se extendió por el mundo. En el 311 d.C. el emperador Constantino empezó a impulsar la propagación del cristianismo. La Biblia se convirtió en el primer códice encuadernado en formato de libro, con páginas de papel pergamino o vitela escritas con pluma de ave con letras al estilo uncial, redondas y circulares (letras curvas de altura desigual, como las empleadas en los manuscritos griegos y latinos). Los irlandeses crearon el estilo semiuncial y escribieron el *Book of Kells,* mientras que los *Lindisfarne Gospels* se completaron en Northumbria (Reino Unido) en el 698 d.C.

En el 789 d.C., Carlomagno, rey de los francos, quiso unificar un gran número de pueblos, culturas y lenguas bajo un solo idioma, el latín, y una sola escritura. Envió a Alcuin de York (Inglaterra) con un equipo de escribientes a Tours (Francia), para que crearan la minúscula carolingia, una escritura clara y rítmica que permaneció como el estilo dominante durante siglos. Los monjes ingleses que escribieron el *Ramsey Psalter,* un elaborado códice del siglo X, desarrollaron la escritura de mejor legibilidad. Sus letras redondas y claras fueron redescubiertas en 1900 por Edward Jonhston, quien las modernizó y las denominó caracteres *foundation*.

A medida que la arquitectura medieval se hizo más alta, ojival y angulosa, el formato de las letras y su textura pasaron a reflejar esa tendencia (como la gótica *Old English*). Más tarde, en el siglo XV, Gutenberg inventó los tipos móviles, que consistían en caracteres góticos cincelados en bloques de madera, y que fueron utilizados para imprimir los primeros libros occidentales. En el siglo XX el diseñador de tipos y caracteres Rudolf Koch grabó en metal las letras góticas *Old English*, y hoy Hermann Zapf diseña fuentes digitales.

Los textos clásicos

Cuando la correspondencia escrita se popularizó, surgió la necesidad de encontrar una forma de escribir más rápida. En el siglo XVI se desarrolló el estilo cursivo, que empleaba una "o" elíptica y una mayor economía de movimientos, lo que permitía unir las letras. Lodovico Arrighi (1520) y Giovanni Battista Palatino (1544), entre otros, escribieron unos cuadernos de caligrafía que despiertan en nosotros hoy la misma admiración que suscitaron en su momento en sus mecenas. Esa popular caligrafía posee numerosas variaciones —cursiva de cancillería, formal, floreada, comprimida, puntiaguda, lanzada, manual, afilada, al estilo gótico— y en la actualidad se emplea en todo el mundo.

Para poder satisfacer la creciente necesidad de imprimir, el grabado en cobre sustituyó a los bloques de madera cincelâdos, y con la generalización de la impresión se cerraron muchos escritorios. Esa nueva modalidad de impresión empleaba un instrumento punzante denominado buril para realizar las incisiones en el cobre, lo que hizo posible que se imprimieran más copias y de mayor precisión en los detalles. La pluma metálica de punta aguda y flexible sustituyó entonces a las plumas de ave y a las cañas de punta ancha que habían sido utilizadas durante 1.500 años.

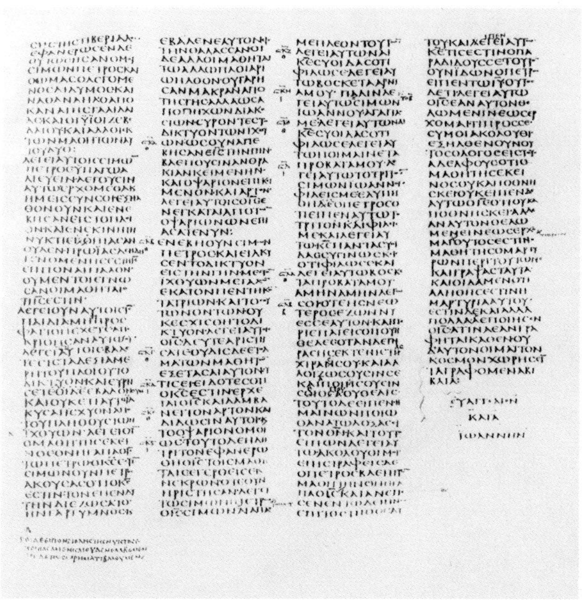

Códice griego del siglo IV. Un códice es la forma más primitiva del libro, en el que se escribe con una pluma de ave sobre páginas de pergamino o de papel vitela. Las páginas se encuadernaban entre dos tablas de madera.

A finales del siglo XIX, William Morris, preocupado con la pérdida inminente de muchos oficios tradicionales, fundó el Arts and Crafts Revival, el Renacimiento de las Artes y los Oficios, en el Reino Unido. Su secretario Sydney Cockerell alentó a Edward Johnston para que estudiara los manuscritos medievales en la Biblioteca Británica. Éste volvió a descubrir la pluma de ave de punta ancha y las técnicas caligráficas de los escribientes medievales. En 1899 dio la primera clase de "letras" en todo el mundo

Proyecto 1 **tarjetas para la mesa y carta**

La carta y las tarjetas para la mesa proporcionan un toque personal a una cena, a la celebración de un cumpleaños, al banquete de una boda y a otras ocasiones señaladas. Además ser un trabajo agradable, resulta práctico elaborar nuestras propias cartas y tarjetas para la mesa, pues las podemos confeccionar de modo que hagan juego con la gama de colores de la mantelería y del resto de la decoración. Los invitados se sentirán especiales al encontrarse con su nombre escrito en caligrafía.

Proyecto 2 **invitación**

Uno de los placeres de la vida es invitar a nuestros amigos y nuestra familia en una ocasión especial. ¿Qué mejor manera de crear nuestra invitación que elaborarla con nuestras propias palabras y nuestro diseño empleando la caligrafía? Al recibir una invitación hecha a mano sabemos que se trata de algo especial.

Proyecto 3 **poema de bolsillo**

Cuando escribimos palabras con caligrafía, es un placer compartirlas con alguien especial. El poema de bolsillo constituye un regalo ideal, puesto que es único y ha sido elaborado con un único receptor en mente. El pequeño libro que se dobla como un acordeón es un proyecto atractivo que los calígrafos pueden confeccionar a lo largo de todas sus fases. Crear un poema de bolsillo es un placer, y recibirlo, algo precioso.

Proyecto 4 **tapas para álbum de fotos**

La caligrafía es un modo estupendo de decorar un álbum repleto de fotografías personales. Su diseño clásico y cálido es la forma perfecta para personalizar e identificar el contenido del álbum. Podemos decorar el título de la cubierta con el nombre de familiares, amigos, lugares especiales de vacaciones o de interés personal. En el ejemplo que ilustramos aquí, hemos escrito el título "amor" en varios idiomas.

Proyecto 5 **árbol genealógico**

Toda familia es única, y al confeccionar un árbol genealógico damos sentido a sus raíces. El árbol está compuesto por los nombres de los familiares, pero podemos embellecerlo con fechas, descripciones e incluso con fotografías y dibujos. Este proyecto se ilustra como un "árbol vivo" y está diseñado para mostrar una sola línea de descendientes, así como las relaciones entre los familiares. Constituye una guía que cualquier familia puede utilizar.

Proyecto 6 **papel de regalo, etiquetas y tarjetas de felicitación**

En este proyecto descubrimos cómo confeccionar un bello papel personalizado para envolver regalos, con tarjetas donde escribir el nombre de los destinatarios haciendo juego, y acompañados de las tarjetas de felicitación. Eso convierte la preparación y la entrega de los regalos en algo todavía más especial, y encantará a nuestros amigos y familiares en los cumpleaños, aniversarios, bautizos y otras ocasiones importantes.

Proyecto 7 **cubierta para álbum de recortes**

Demos realce a nuestro álbum de recortes con nuestra propia caligrafía hecha a mano y nuestro diseño. En este proyecto, es posible adecuar la caligrafía a un tema; en este caso, la primavera. No obstante, podemos decorar nuestra cubierta para que cuente nuestra propia historia o conmemore una ocasión y emplear para ello cualquier estilo caligráfico, tamaño y color de la pintura o la tinta.

Proyecto 8 **joyero**

Escribamos bellas letras para decorar una pequeña caja de madera y crear con ella un tesoro. Podemos elegir las iniciales de una persona especial o decorar la tapa con el nombre de un acontecimiento particular o con una fecha. El proyecto es algo único, puesto que la caligrafía se escribe sobre una superficie plana y después se pega a una caja con tres dimensiones. Podemos usar esta imaginativa cajita para guardar algún tesoro pequeño y especial.

Una página de la Biblia de Winchester, realizada en Inglaterra, de 1160 a 1180. Un único copista la escribió sobre 468 páginas de pergamino, y fue iluminada por al menos seis artistas diferentes con 54 grandes iniciales, como la letra "P" que aquí se muestra. Permanece en la actualidad en la biblioteca de la catedral de Winchester.

y publicó en 1906 *Writing, Illuminating & Lettering,* que se edita aún hoy y es, con mucho, el libro más vendido sobre caligrafía. En 1916 Johnston recibió el encargo de diseñar los rótulos para el metro y los autobuses de Londres. Ese estilo de caracteres se convirtió en el primer tipo "sans-serif" (caracteres sin remate).

El renacimiento de la caligrafía en todo el mundo está en deuda con el genio y la filosofía de Johnston, y con su maestría en el empleo de la pluma de punta ancha, para recordarnos a todos que escribir a mano con un estilo lleno de belleza es algo precioso, aunque poco común.

La caligrafía hoy

La caligrafía es, en un sentido bastante literal, la escritura bella. La palabra misma deriva del griego *kállos*, que significa belleza, y *grapho*, que significa dibujar o escribir.

La mayor parte de las personas que estudian caligrafía lo hace porque desea crear algo con sus propias manos. Aprender artes plásticas, como el dibujo, puede intimidarnos un poco, mientras que escribir, dado que lo hemos aprendido en el colegio, nos parece una cosa más asequible; no se requiere poseer un talento artístico especial para apuntarse a las clases.

La caligrafía es una actividad interesante, a la par que muy gratificante. Los materiales —pluma, tinta y papel— son relativamente económicos. Tiene, además, aplicaciones prácticas como poner la dirección en un sobre, crear tarjetas de cumpleaños, de felicitación, y otras semejantes. Se puede utilizar también, tal como se ha hecho a lo largo de los siglos, para añadir el nombre a los certificados, los premios, los diplomas, los certificados de matrimonio y los árboles genealógicos. Otras aplicaciones son: regalos, envoltorios y libros ornamentados; y trabajos más formales, como la creación de obras de arte que combinan palabras e imágenes, para exponerlas.

El reconocimiento de la caligrafía en Occidente como una actividad artística genuina y respetada como tal cada vez es mayor y escribir con belleza es cada vez más popular en todo el mundo (véase en la pág. 95 una lista de instituciones relacionadas). Sin embargo, en Oriente se la ha considerado siempre como la forma artística más elevada.

La caligrafía le invita a encontrar las palabras perfectas. Tanto si se trata de una poesía, de cuentos, de juegos o de las frases preferidas de una obra de teatro, una novela o una canción, las palabras adquieren vida con la pluma de un calígrafo. Un mundo nuevo se abre cuando exploramos nuestros pensamientos y recuerdos o los cánones de la literatura, en busca de las palabras exactas. Muchos emplean la caligrafía para expresar sus pensamientos y sentimientos y para entrar en contacto con su yo más profundo. Al guardar esas reflexiones personales en un diario, una carta o un álbum de recortes, pueden compartirlas con los demás.

La caligrafía es también el medio ideal para personalizar las cartas y las tarjetas de felicitación. Imagínese la sorpresa de una persona que abre el buzón y ve el paquete que le ha enviado. Si bien las palabras son para leerlas y disfrutarlas, con la caligrafía comunican muchas otras cosas. El diseño de la tarjeta, la elección del papel, el estilo de la caligrafía y los colores escogidos, todo ello comunica el mensaje «Me importas lo bastante como para emplear mi tiempo y mis esfuerzos en hacer esto para ti».

La caligrafía transmite, asimismo, una sensación de tranquilidad interior. El acto físico de sujetar una pluma y sentir cómo se desliza por el papel es un placer único. Escribir, dibujar y pintar exigen toda nuestra atención y concentración, un equilibrio entre el control y la libertad que nos proporciona un estado de paz y concentración mientras nos sumergimos en el acto creativo.

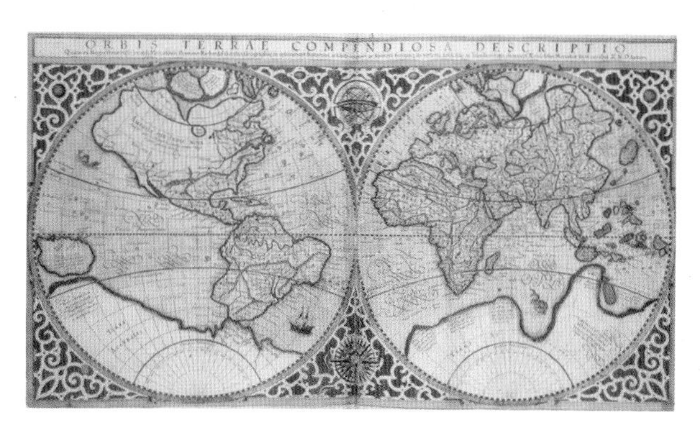

Un mapa Mercator del siglo XVI, que toma su nombre del famoso cartógrafo Gerhardus Mercator. Los mapas de ese cartógrafo eran obras maestras de intrincados diseños y caligrafía.

27 Esta caja tiene una tapa curva, por lo que hemos de estar muy atentos al alinear los bordes del papel con la caligrafía con los extremos de la tapa. Comenzando por el centro, presionamos el papel en dirección a los extremos para eliminar las burbujas de aire y aplanarlo sobre la madera.

28 Para igualar el color del papel de calcar blanco con el de la caja, escogemos una barra de pastel del tono adecuado. Restregamos una toalla de papel o un paño suave en el pastel y lo frotamos sobre el papel de calcar.

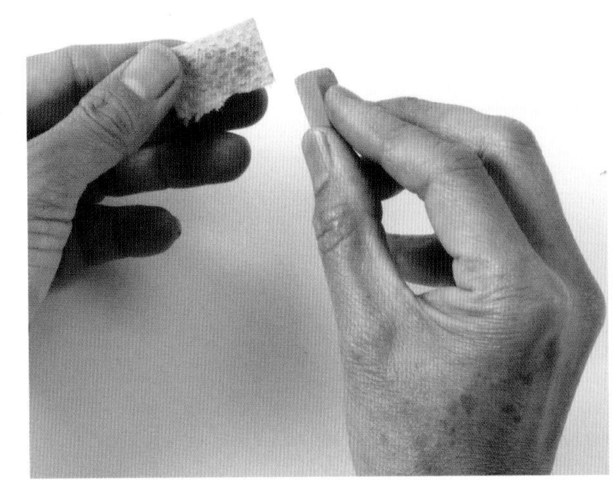

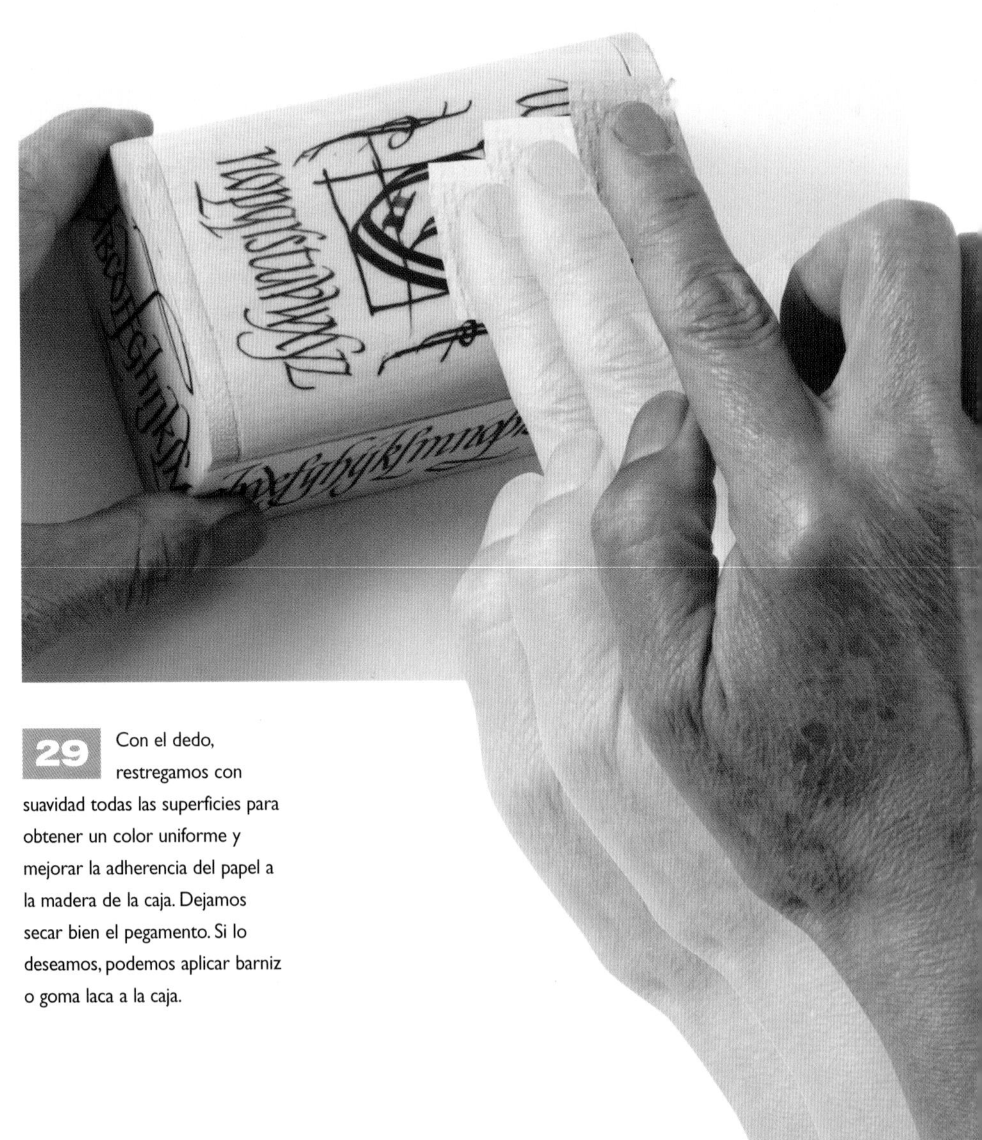

29 Con el dedo, restregamos con suavidad todas las superficies para obtener un color uniforme y mejorar la adherencia del papel a la madera de la caja. Dejamos secar bien el pegamento. Si lo deseamos, podemos aplicar barniz o goma laca a la caja.

Materiales y equipo

Los materiales que se emplean en caligrafía son sencillos de conseguir, de montar y de mantener y son, además, en comparación con los de otras artes —como la pintura, el esmalte, la cerámica y el tejido—, relativamente económicos. El equipo básico es: una plumilla y un portaplumas, tinta o pintura, papel y un pincel.

Plumas

Existe una gran variedad de plumas metálicas en el mercado para escribir caligrafía. Las más sencillas se denominan plumillas caligráficas. En general, se presentan con dos partes: una plumilla separable (o suelta) y un mango o portaplumas.

Las plumillas tienen forma rectangular y se las denomina plumas de punta ancha. Están cortadas en diferentes ángulos: recto u horizontal, oblicuo derecho y oblicuo izquierdo (véase la ilustración abajo). Muchos calígrafos diestros usan tanto la plumilla en ángulo recto como la en ángulo oblicuo derecho, según el estilo de escritura que realicen. Pruebe distintas plumillas hasta descubrir cuál le va bien.

Las plumillas de punta ancha se emplean para escribir en una gran variedad de estilos alfabéticos, como los de letras unciales, versales, carolingias, *foundation*, góticas, góticas *Old English*, bastardas, cursivas, leyenda, *neuland*, mayúsculas caligráficas romanas, comprimidas y los alfabetos modernos creativos.

Antes de usar la plumilla, ésta ha de lavarse con un poco de agua y jabón. Después de su utilización, debe limpiarse siempre con agua corriente y secarse con un trapo o una toalla de papel.

Las plumillas en ángulo recto son utilizadas por muchos calígrafos diestros, al igual que por algunos zurdos.

Las plumillas en ángulo oblicuo izquierdo son empleadas por la mayor parte de los calígrafos zurdos. También son las más indicadas para escribir en la caligrafía árabe.

Las plumillas en ángulo oblicuo derecho son usadas por los calígrafos diestros.

Depósitos

Los depósitos facilitan el control del flujo de tinta o de pintura de la pluma. Toman la forma de la pieza de metal en cuña junto a la punta de la pluma que "sostiene" la tinta o la pintura, utilizando la tensión superficial del líquido. Algunos fabricantes, como Speedball, Hiro y Brause, fabrican las plumas con el depósito agregado. Otros las confeccionan con el depósito suelto (plumillas), que es necesario encajar o ajustar a la pluma antes de llenarlo con la tinta o pintura.

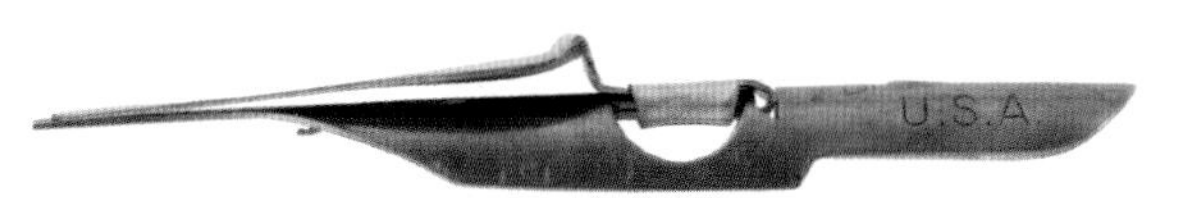

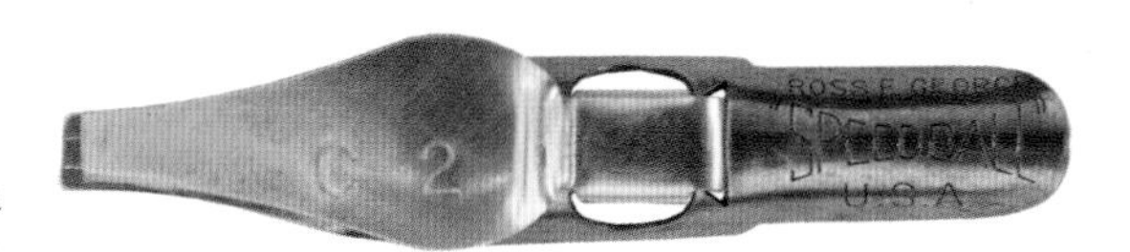

Una pluma Speedball a la que se ha añadido un depósito de latón. El depósito crea un espacio en forma de cuña en el que se coloca la tinta, el guache o la pintura de acuarela con un pincel o una pipeta.

Algunos calígrafos prefieren «mojar» la pluma en el bote de tinta o en la paleta de pintura, pero eso puede provocar un exceso de tinta o de pintura en los primeros trazos.

CÓMO HACER UN DEPÓSITO Y RELLENARLO

Cortamos una tira muy fina de cinta adhesiva de unos 3 mm de ancho y 2,5 cm de largo. La pegamos en la plumilla, empezando por la cara superior.

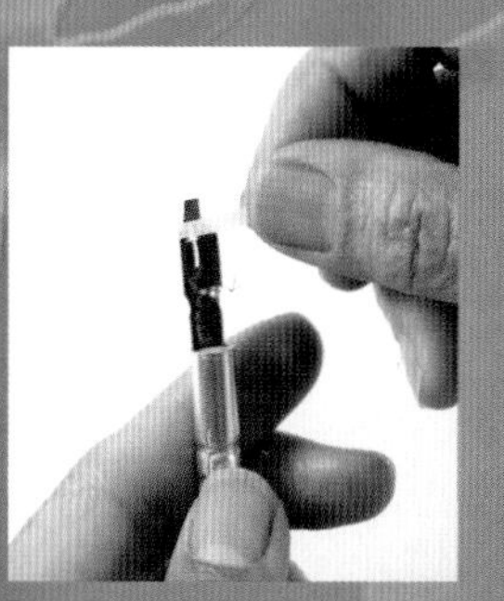

Pasamos la cinta alrededor de la cara inferior de la pluma. Estaremos atentos para que no se pegue a esa cara, sino que deje una «bolsa» para la tinta.

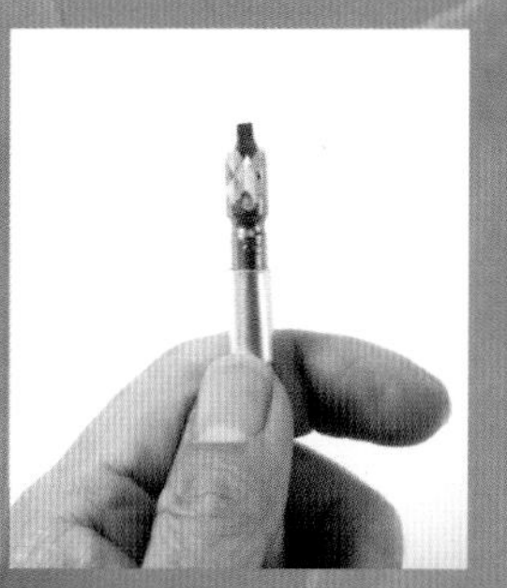

Giramos la pluma para que la cara superior de la plumilla quede mirando hacia nosotros y apretamos la cinta adhesiva con firmeza para que se pegue bien.

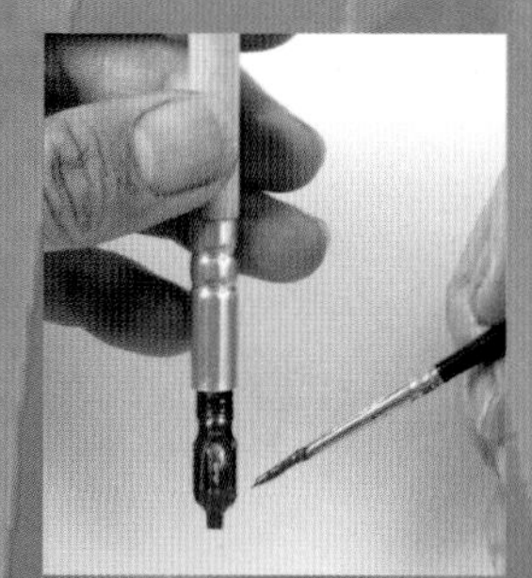

Con un pincel o un cuentagotas, rellenamos el depósito con tinta, guache o acuarela y comenzamos a escribir.

23 Giramos el papel 90° y escribimos con una pluma William Mitchell n.° 4 o su equivalente las 13 primeras letras del alfabeto, empleando para ello un estilo caligráfico de letras comprimidas. Giramos el papel 180 ° y acabamos de escribir las letras condensadas para decorar la tapa de la caja.

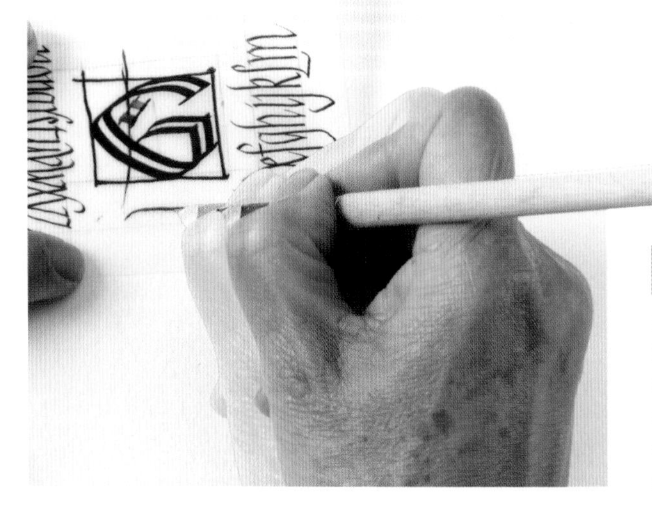

25 Para rellenar el espacio arriba y abajo de la letra "G", dibujamos una trazo horizontal a guisa de floritura. Esperamos a que la caligrafía se seque por completo y recortamos el papel de calcar en el tamaño exacto de la tapa de la caja.

24 Lo interesante de este proyecto de joyero es que podemos escoger las palabras, las letras y los estilos que deseamos emplear en la decoración de la caja. Podemos decantarnos por unos muy sencillos o, por el contrario, unos más sofisticados.

26 Aplicamos con cuidado la cola blanca de carpintero sobre la caja con un pincel duro o bien rociamos el papel con el pegamento sin ácidos en aerosol. Estaremos atentos para que la cola no alcance la caligrafía.

COLOCAR UN DEPÓSITO YA HECHO

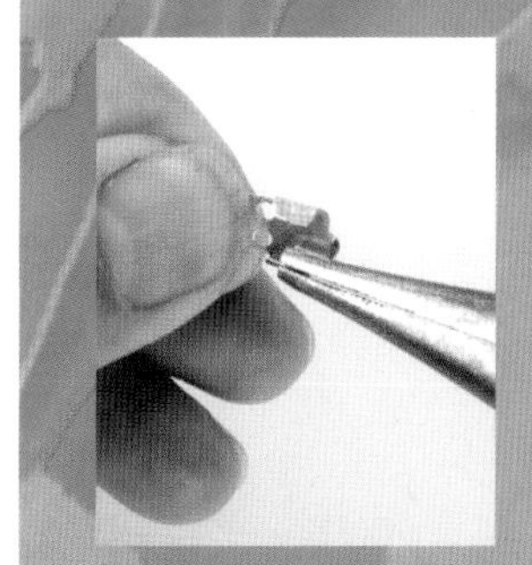

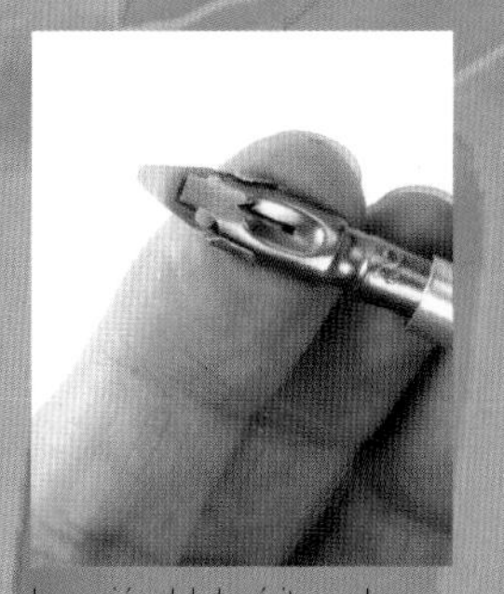

Si el depósito queda demasiado ajustado, utilice unos alicates para abrir el clip que lo sujeta; eso hará que el depósito se deslice con más facilidad y se introduzca mejor en la plumilla. Verifique que la presión del depósito no haga que se abra la hendidura de la punta de la pluma ni distorsione el borde por el que se escribe. Si eso ocurre, tenga cuidado y no lo afloje demasiado.

Portaplumas

Es importante que elijamos un mango para la pluma con el que nos sintamos cómodos al sostenerlo con la mano. Existe una gran variedad donde elegir: de diámetro fino o ancho, corto o largo, de forma redonda o hexagonal, de superficie suave o con textura. En la mayoría de los portaplumas, la plumilla se introduce sólo en un extremo, pero algunos están fabricados de tal modo que es posible colocar plumillas en los dos extremos. Si preferimos un portaplumas de diámetro ancho, debemos elegir uno con un mango diseñado especialmente para que se pueda agarrar bien.

Al introducir la punta en el mango, hemos de asegurarnos de que se ajusta perfectamente en la abertura correspondiente. El diámetro de las plumillas varía según el fabricante, al igual que la abertura de los portaplumas; una pluma que no encaja bien, no escribe bien.

Tintas

La tinta más conveniente para la caligrafía es un frasco de la moderna tinta para plumas estilográficas. La mejor es la soluble en agua (y no la que es a prueba de agua), ya que las tintas a prueba de agua y las acrílicas se secan con demasiada rapidez y obstruyen la punta de la pluma. Sin embargo, hay que evitar que la tinta elegida penetre demasiado en el papel, lo que da lugar a una escritura mojada "en forma de pluma". Si bien existe un gran número de marcas económicas en el mercado, vale la pena comprar una tinta de buena calidad en una tienda especializada.

Muchos calígrafos experimentados emplean tinta china en bastón, que se va moliendo en un recipiente con agua. Si elegimos ese tipo de tinta, hemos de secar la barra meticulosamente después de usarla, o se resquebrajará y se partirá en trocitos.

Pinturas

Las pinturas se emplean más que las tintas para crear color en la caligrafía. Las solubles en agua, como el guache que usan los diseñadores y los artistas (una aguada opaca), al igual que las acuarelas corrientes más transparentes, funcionan bien. El guache está formado por pigmentos finamente molidos, goma arábiga, agua y conservantes, y se presenta en tubos. La pintura fluye con facilidad y crea colores brillantes y puros.

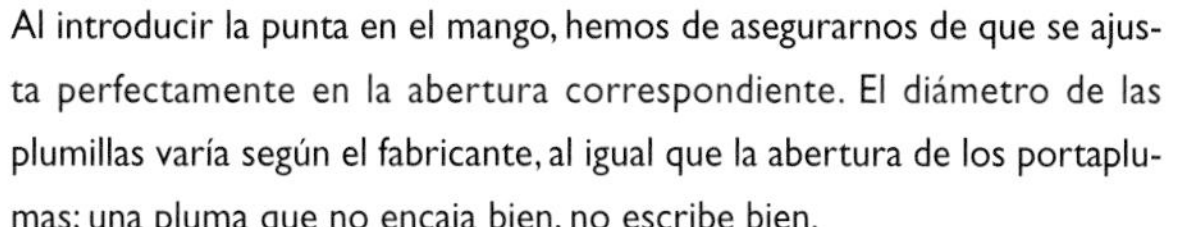

Existen portaplumas de distintos grosores, largos y formas. Arriba se presenta un mango afilado por el extremo, mientras que abajo se muestra uno cilíndrico de madera.

El azul de ultramar es una versión moderna del color medieval lapislázuli.

El rojo bermellón o laca escarlata es el rojo que los copistas han usado de forma tradicional.

El óxido de cromo es el verde empleado en la heráldica y los manuscritos medievales.

Los amarillos son útiles para realizar mezclas con los azules, los rojos y los verdes y crear más colores.

Para empezar, sólo necesitaremos unos cuantos tubos de pintura, como el azul ultramar, el rojo de cadmio medio (o cualquier otro buen rojo), un verde y un amarillo, puesto que se pueden mezclar para obtener otros colores. La acuarela es ideal para realizar la escritura en varias capas, como se muestra en los proyectos de papel de regalo, tarjeta para regalos y tarjeta de felicitación (véase págs. 65-74), y se vende en botes grandes y pequeños, así como en tubos.

Para mezclar las pinturas, apretamos el tubo y depositamos una pequeña cantidad de cada color en una paleta o en un *godet*. Con un cuentagotas o un pincel, añadimos unas gotas de agua y mezclamos bien la tinta hasta que adquiera una consistencia lechosa. Podemos conseguir una "crema" más espesa o más clara y "acuosa" si le añadimos menos o más agua.

19 Después de pegar en las cuatro caras de la caja la tira con la escritura caligráfica, recortamos con cuidado todo el papel sobrante con el escalpelo, el cúter o las tijeras. Sujetamos el papel hacia arriba y lo cortamos lo más cerca del borde de la caja que nos sea posible, sin dañar la madera. Con eso, terminamos la caligrafía de los lados de la caja.

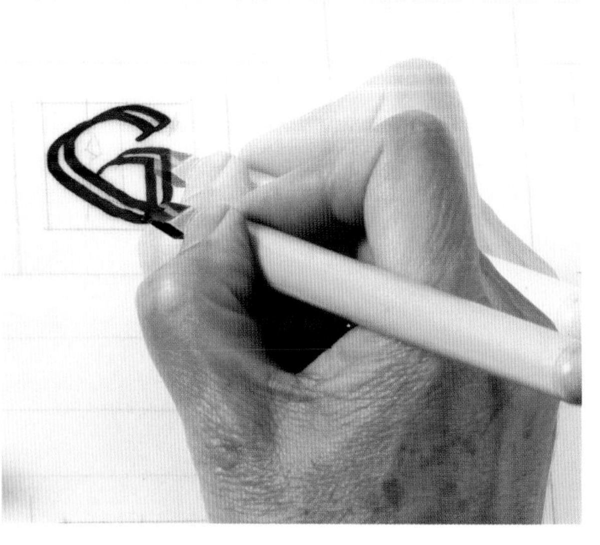

21 Con una pluma automática n.º 9 o su equivalente de doble raya, escribimos la letra "G".

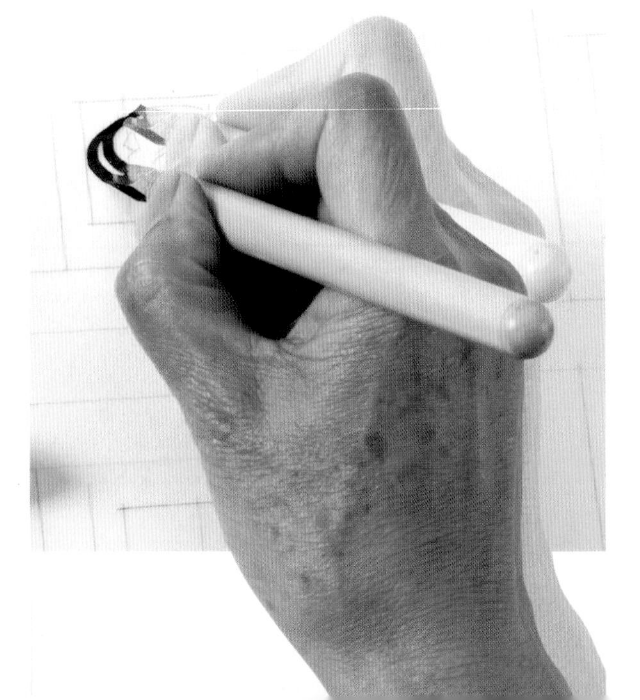

20 Para completar la caligrafía y el diseño de la tapa de la caja, dibujamos a lápiz en una hoja de papel de calcar de gramaje alto el esquema de la forma de la tapa, las líneas de escritura y la posición del motivo, en este caso la letra "G".

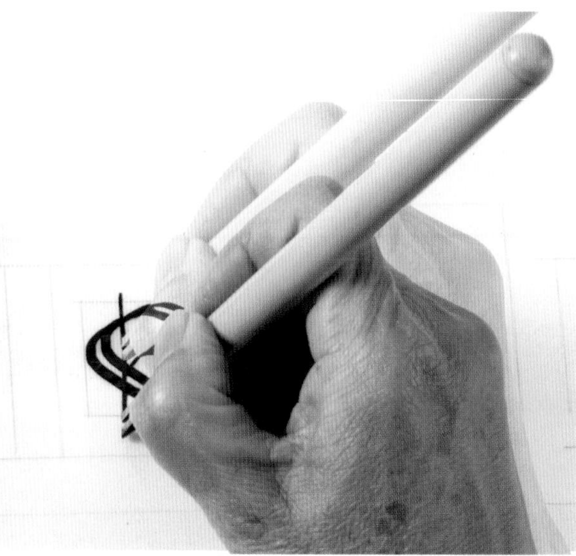

22 Dejamos que la letra "G" se seque del todo. Después le añadimos una línea vertical que atraviese la curva del carácter. Extendemos esa raya hasta la caja.

Materiales y equipo

Es importante elegir con cuidado los instrumentos de caligrafía. Casi todos los materiales durarán mucho tiempo si se utilizan, mantienen y guardan correctamente. Los materiales de buena calidad, como los que aquí se muestran, facilitarán que se realice un trabajo de alta calidad y su empleo resultará satisfactorio.

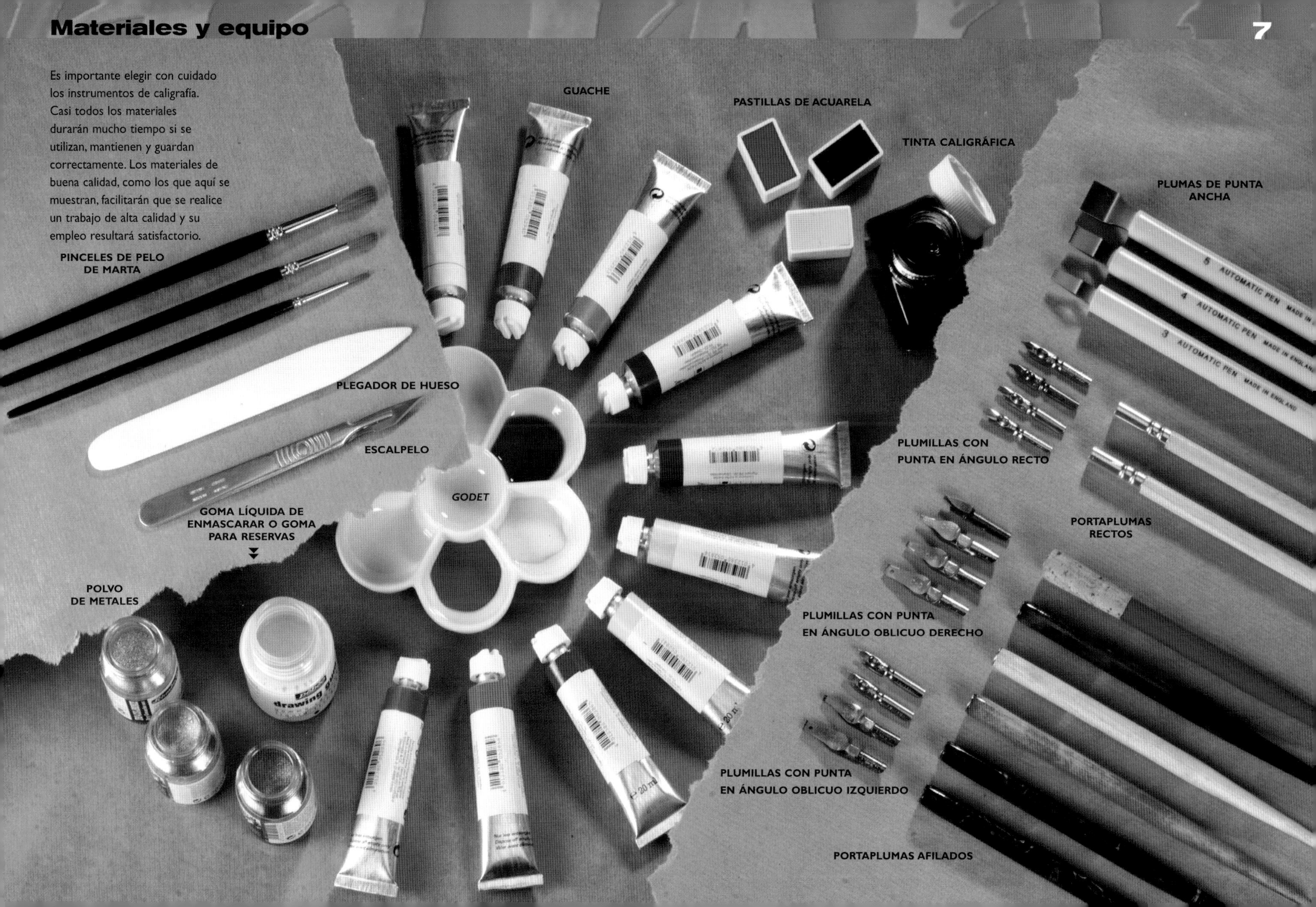

16 Cuando el pegamento esté pegajoso, pero ya no esté húmedo, adherimos el papel de calcar con la caligrafía en la cara apropiada de la caja. Comprobamos que el papel de calcar no se alabea ni forma burbujas al expandirse a consecuencia de la humedad de la cola de carpintero. Si el pegamento está todavía demasiado húmedo, si hemos puesto una cantidad excesiva o si el papel de calcar es demasiado fino, la hoja se estirará y formará alabeos y arrugas.

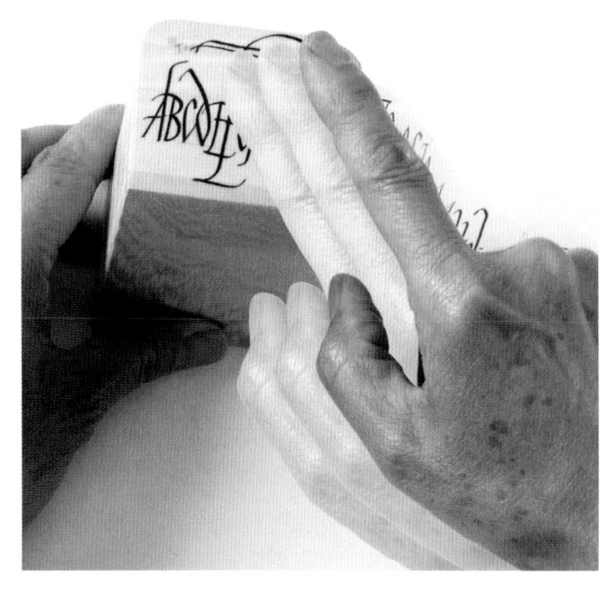

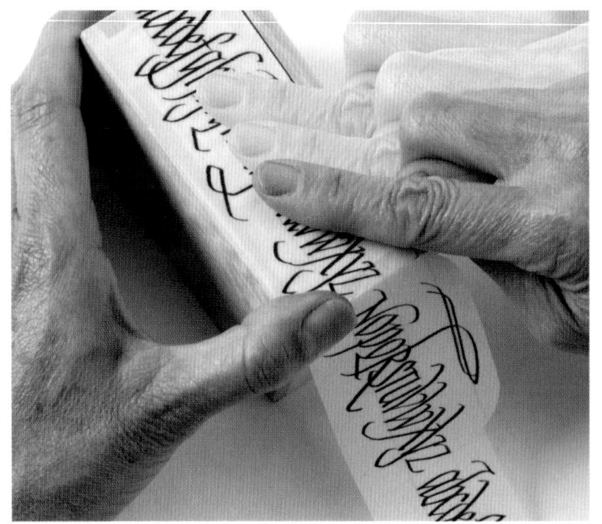

17 Colocamos el dedo en el centro de la cara y presionamos con suavidad el papel de calcar con la caligrafía contra la superficie de la caja. Quitamos todas las burbujas, de modo que la cara con el pegamento se adhiera de manera uniforme a la madera.

18 Aplicamos la cola blanca de carpintero en la cara siguiente de la caja o un poco del pegamento en aerosol en el siguiente tramo de papel. Todavía una vez nos aseguramos de que la aplicación es uniforme y muy delgada. Doblamos la tira de papel con la caligrafía alrededor de la esquina y la apretamos gradualmente, empezando por el centro y avanzando hacia los extremos.

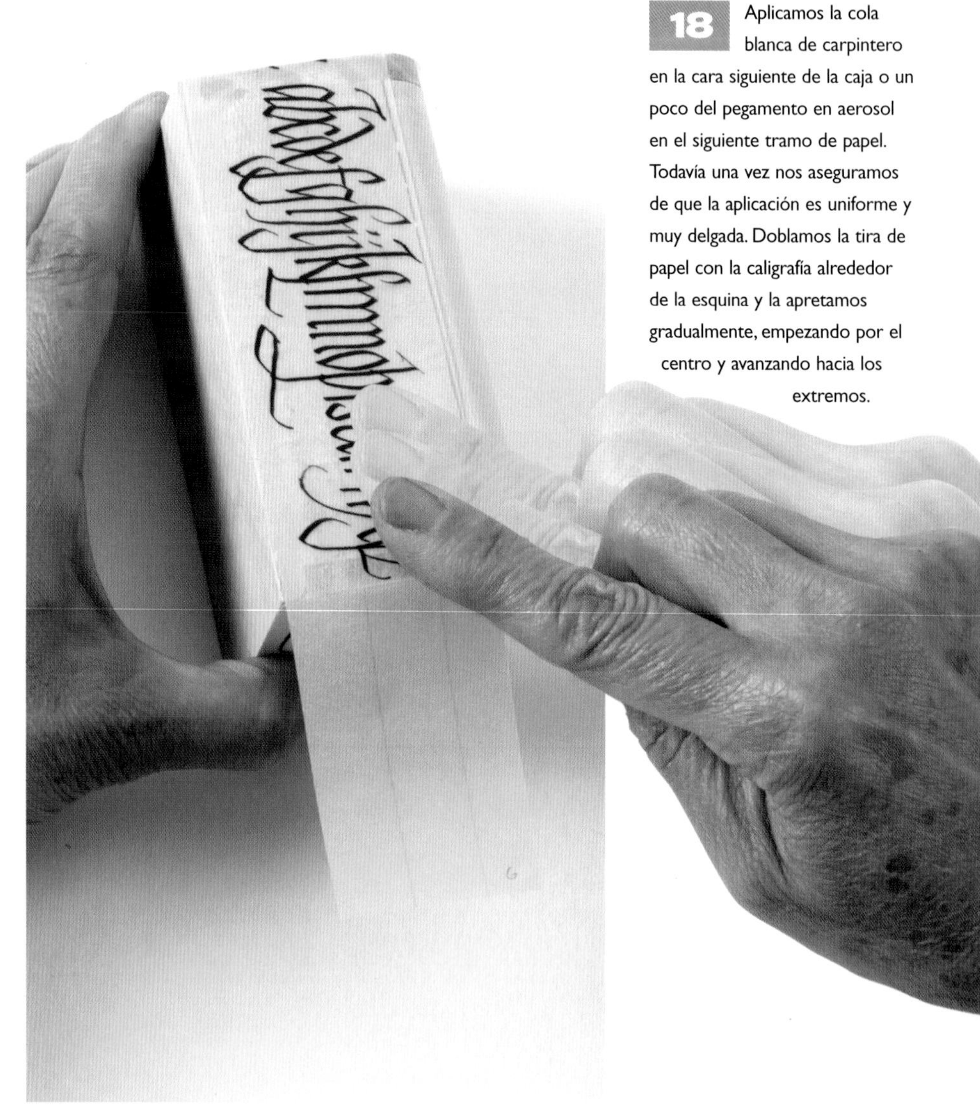

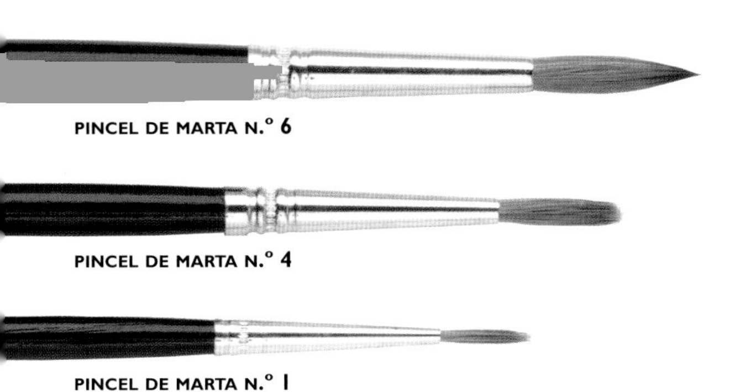

PINCEL DE MARTA N.º 6

PINCEL DE MARTA N.º 4

PINCEL DE MARTA N.º 1

Pinceles

Para mezclar las pinturas y para llenar la pluma podemos utilizar un pincel sencillo. Sin embargo, para pintar emplearemos un pincel de pelo de marta corto o de mezcla de pelo de marta y nailon, del n.º 2 o n.º 3, que tengan una buena punta. Es muy importante lavar muy bien los pinceles después de cada uso y dejar que las cerdas o los pelos se sequen de manera natural, conservando la forma de punta.

Goma líquida de enmascarar

También conocida como goma para reservas, la máscara líquida se aplica con una plumilla corriente, pero tiene como función evitar que los colores manchen el papel en las zonas que se quieren preservar sin pintura. Cuando la pintura está seca, la goma de reserva puede retirarse con una goma de borrar, de modo que queda al descubierto el color del papel de base. Hemos de estar atentos a que la consistencia de la goma líquida sea lo suficientemente clara (como la leche) para que corra a través de la pluma; algunas marcas pueden ser demasiado espesas. El proyecto de la invitación (véanse págs. 33-40) es un ejemplo del empleo de la goma líquida.

Papeles

El papel tiene mucha importancia en la caligrafía, y existe una gran variedad en el mercado, capaz de satisfacer casi todas las necesidades de una creación. Para los principiantes, el papel cebolla es muy útil para las prácticas. Se trata de un papel blanco translúcido que permite ver cualquier pauta para la escritura que se quiera colocar debajo en una hoja. Los calígrafos más experimentados pueden diseñar las líneas de la escritura directamente sobre la superficie del papel cebolla con lápiz HB o 2B. Ese papel suele venderse en paquetes y se encuentra en distintos tamaños en las tiendas de material artístico. Para los trabajos más avanzados, existe una amplia gama de papeles más espesos, entre ellos:

- Papel de dibujo, también denominado papel "cartridge".
- Papeles para acuarela, que se presentan en distintos gramajes y texturas:
  Prensados en caliente o calandrados: superficie suave.
  Prensados en frío: superficie con una ligera textura (también denominados "NOT").
  Ásperos: superficie con fuerte textura.
  Papeles de colores: con el gramaje variado, de ligeros a pesados.
- Papeles con texturas, desde los suaves (tejido) y los rayados (papel vergé) hasta los ligeramente ásperos, con acabado granulado.

Lo que determinará cuál es el tipo de papel más adecuado es aquello que deseemos crear y el tipo de plumas y de tinta o pintura que vayamos a usar. Debemos tener siempre en cuenta la superficie del papel, así como su color, textura y peso. Algunos papeles de buena calidad de los

Para probar la gran variedad de papeles que hay en el mercado, podemos comprar un libro de muestras de papel o unas cuantas hojas y cerciorarnos de que la tinta o la pintura traza letras nítidas sobre ellas y no se corre. Comprobamos también que la tinta o pintura fluya de forma homogénea, sin formar manchas o blancos y que el papel no se arrugue.

12 Podemos emplear varios estilos diferentes, aunque relacionados entre sí, con distintas florituras, astas ascendentes y descendentes para proporcionar diversidad a nuestro trabajo.

13 En este proyecto, escribimos las letras en una única tira larga, aunque también podemos emplear una frase, como una cita. Con el escalpelo, el cúter o las tijeras, recortamos el papel de calcar con unas dimensiones ligeramente inferiores a las de la caja.

14 Comprobamos que el papel de calcar tiene las medidas correctas, en altura y longitud. Recortamos con cuidado los trozos de papel que sean demasiado grandes hasta que tengan el tamaño adecuado.

15 Para pegar el papel con la caligrafía a la caja, utilizamos un pincel duro y limpio, y aplicamos con él una capa muy delgada de cola blanca de carpintero en la madera. Si lo preferimos, podemos usar pegamento sin ácidos en aerosol, pero en este caso, rociamos el dorso del papel. Merece la pena hacer una prueba para verificar cuál de los dos métodos nos resulta más adecuado.

que se encuentran en las papelerías son apropiados para una carta manuscrita, mientras que un certificado o un árbol genealógico necesitan, por el contrario, un papel más duradero y que no se estropee por el efecto de la luz. Es aconsejable un papel hecho de algodón duradero al cien por cien, o de trapo. Otros proyectos, como las tarjetas de felicitación y las tarjetas para los regalos, requieren un papel que tenga carteo (cuerpo), además de un cierto gramaje, para que lo podamos doblar y se mantenga de pie. El papel de regalo y las tapas de los álbumes necesitan ser lo bastante finos para que los podamos enrollar, pero han de tener la suficiente resistencia para doblarlos y escribir sobre ellos.

La mejor manera de conocer las variedades de papel es preguntar a un profesor u otros calígrafos acerca del tipo de papel que emplean y probar a escribir en algunas muestras. Experimentar mucho con una amplia gama de papeles nos ayuda a ganar destreza y confianza.

Siempre compensa usar papel de buena calidad. Al realizar trazos decididos con la pluma, hemos de obtener signos precisos, tanto si estamos escribiendo líneas delgadas como gruesas. Las letras no deben correrse, lo que suele suceder cuando el papel absorbe demasiado deprisa la tinta o la pintura y genera trazos "despeinados" que parecen plumas. El papel tampoco ha de ser tan satinado como para que rechace la tinta o la pintura.

El tablero para escribir y el espacio de trabajo

El tablero de escribir será la superficie de trabajo, y por lo general consiste en una pieza de madera contrachapada lisa y plana de unos 60 cm x 45 cm x 8 mm. Ese tipo de madera se encuentra con facilidad en las tiendas de bricolaje. En su defecto, bastará una vieja tabla de madera.

Colocamos la tabla sobre una mesa y apoyamos el extremo superior sobre una caja para obtener un ángulo cómodo para escribir. Cuando estemos sentados, también podemos apoyar la tabla sobre nuestro regazo y en el borde de la mesa. Otra posibilidad es comprar un atril de sobremesa ajustable. Al hacer trabajos de pequeño tamaño, se ajusta el atril con un ángulo más agudo; en tanto que al realizar obras mayores, es mejor escribir sobre la tabla plana y trabajar de pie.

Siempre que sea posible, es preferible trabajar con luz natural. Una lámpara de mesa ajustable es también un artículo imprescindible, pero debemos asegurarnos de que la luz no cause reflejos en el trabajo. Utilizaremos una escuadra en forma de T (véase ilustración abajo) y un cartabón sobre el tablero de escribir cuando dibujemos a lápiz las líneas guía, para asegurarnos de que salgan rectas paralelas. Una regla de metal con un corcho o una sujeción antideslizante resulta esencial para realizar las mediciones y para proporcionarnos un borde contra el que cortar, cuando empleamos el escalpelo o el cúter. Un borde metálico es mucho más resistente al filo de un objeto cortante que uno de plástico. Por último, la silla en la que trabajemos debe ser cómoda; a ser posible, una de oficina con la altura y el respaldo ajustables.

Empleamos una escuadra en forma de T para trazar las líneas de la pauta. Con una mano, presionamos con firmeza la escuadra contra el borde de la superficie de trabajo y dibujamos las líneas con la otra.

Almohadillas para escribir

Al escribir sobre un trozo de papel colocado directamente sobre el tablero, se trabaja en una superficie dura e inelástica para la pluma y además la mano se cansa con facilidad. La pluma es un instrumento flexible y escribe mejor cuando hay una almohadilla debajo del papel. Existen diversos materiales que pueden utilizarse para fabricarse una almohadilla:

- papel secante espeso, suave, plano y extendido
- piel de ante
- tela de fieltro

Puesto que el tablero de escribir estará a menudo inclinado, la cinta adhesiva resulta de utilidad para sujetar el trabajo a la madera. Fijamos el papel secante, la hoja de protección, el papel con el esquema y el trabajo en curso al tablero para que se mantengan fijos en la posición correcta.

Escalpelos y cúters

La cuchilla o cúter se emplea para cortar papel y cartulina. Para hacer recortes en el interior o alrededor de las letras o en áreas pequeñas, una cuchilla o escalpelo es lo mejor, pues corta las esquinas con más facilidad. El papel gasta la cuchilla con sorprendente rapidez, por lo que se necesitará una piedra de afilar o bien sustituir las cuchillas con regularidad.

Papel de calcar de grafito

Se trata de un tipo de papel de copia fino, que se encuentra en las papelerías, que tiene, en uno de sus lados, una emulsión negra. Cuando se necesita copiar un dibujo o pasarlo a otra superficie, se pega este papel sobre el área dónde se va a trabajar, con el lado negro hacia abajo. Se coloca el diseño deseado encima y se repasa con un lápiz de mina dura o una pluma.

8 Resulta muy difícil escribir una misma letra con exactamente la misma longitud a los dos lados de la caja. Lo ideal es que escribamos la caligrafía sobre el papel de calcar después de colocarlo encima del alfabeto que hemos trazado, pues así encajamos las letras con precisión a lo largo del lado de la caja.

10 Con el fin de que la caligrafía que hemos escrito en letra mayúscula quepa en la cara más corta de la caja, dividimos el alfabeto en dos partes. Aquí, la pluma está escribiendo la primera asta de la letra "M". Procuramos mover la mano de manera rítmica incluso cuando estemos escribiendo los caracteres en minúscula, para mantener el ángulo de la pluma constante y conseguir que las letras sean uniformes.

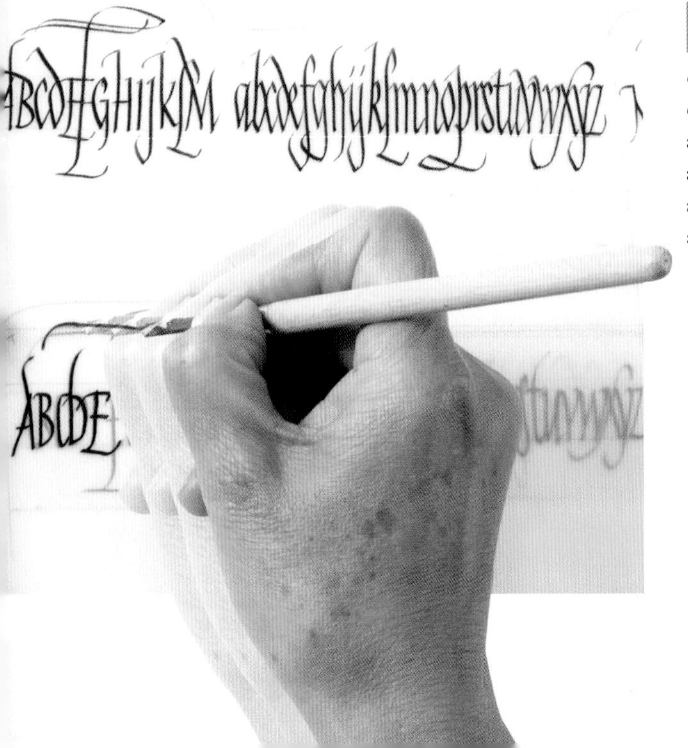

9 Nos aseguramos de que la tinta a prueba de agua se haya secado por completo para obtener un buen acabado. Una vez seca, le añadimos un poco de agua, pues así verificamos que en efecto es a prueba de agua.

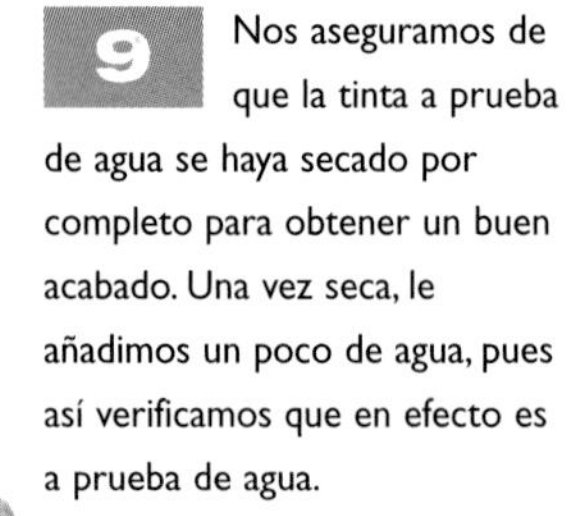

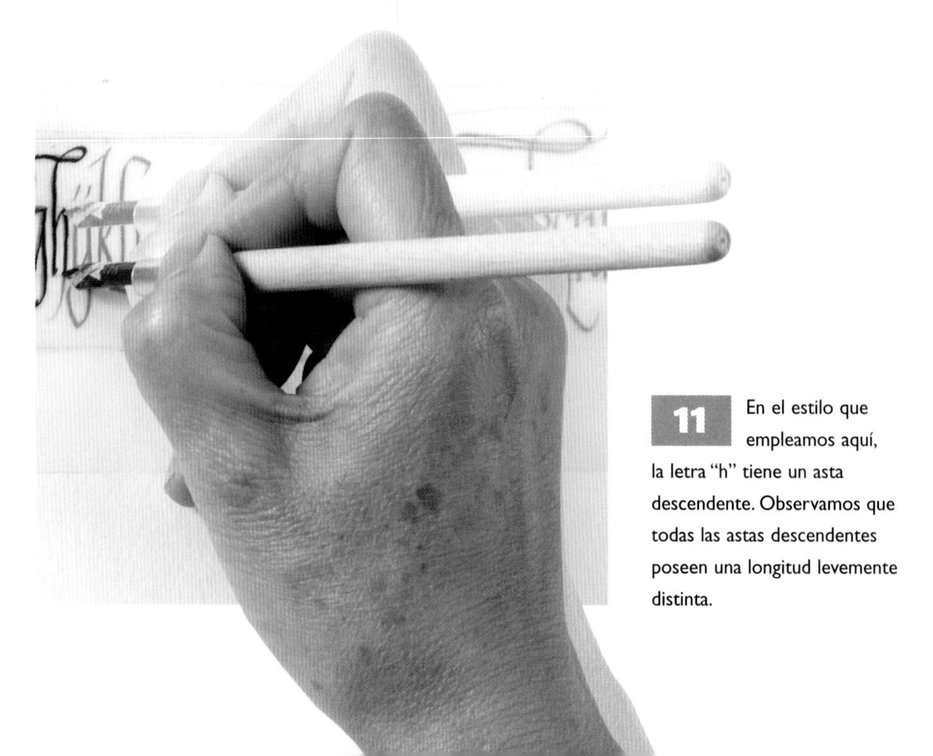

11 En el estilo que empleamos aquí, la letra "h" tiene un asta descendente. Observamos que todas las astas descendentes poseen una longitud levemente distinta.

Técnicas básicas

Escribir con una pluma caligráfica es algo único. A diferencia del bolígrafo o del lápiz, que son instrumentos de escritura puntiagudos, el extremo por donde se escribe con la pluma caligráfica es plano, grande y ancho.

La presión al escribir

La caligrafía es muy diferente de la escritura corriente. Es necesario colocar la punta que escribe con mucha suavidad sobre el papel. Al realizar los primeros trazos o signos con una pluma caligráfica, procuraremos aplicar una presión suave pero uniforme sobre toda la extensión de su ancha punta.

En primer lugar, pruebe a sujetar la pluma sin tinta ni pintura. Si presiona demasiado la punta, la hendidura se abrirá, lo que ocasionará un hueco que impedirá que la tinta o la pintura fluyan de la pluma al papel. Además se le cansarán los dedos y la plumilla se gastará más deprisa. Si ejercemos más presión sobre un lado que sobre otro, la punta se deformará. Por ejemplo, si aprieta más el borde izquierdo que el derecho, el lado izquierdo se montará sobre el derecho. Tanto al usar la tinta como la pintura, una presión desigual ocasionará un margen áspero e irregular en uno de los lados del trazo. Cuando escriba, trate de estar atento al contacto que se establece entre la pluma y el papel y a los resultados que vaya obteniendo.

Cómo sujetar la pluma

Busque una posición cómoda pero firme para sujetar el portaplumas, sin apretarlo con demasiada fuerza entre los dedos. Al escribir trate de mover tanto los dedos como la mano, el puño y el brazo. Para plasmar el movimiento de la pluma caligráfica sobre la página, pruebe a desplazar todo el brazo hacia adelante y hacia atrás en florituras y giros, como también de arriba abajo y hacia los lados.

LA SUJECIÓN PARA DIESTROS Y ZURDOS

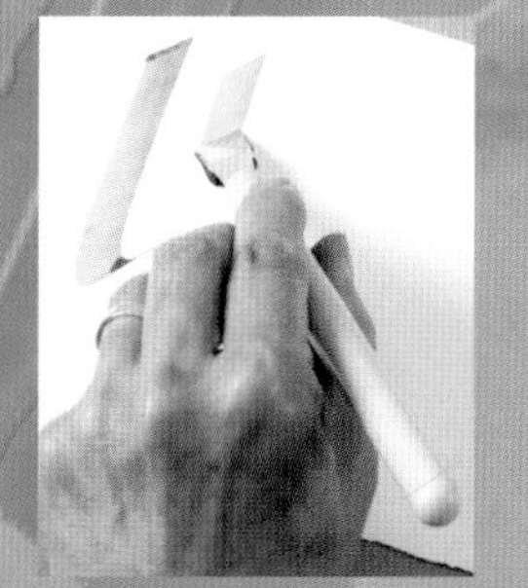

Zurdos: deberán acercar el codo al cuerpo con la mano orientada hacia la izquierda. Si inclinan el papel se mantendrá el ángulo de la pluma.

Diestros: el portaplumas deberá sujetarse con un ángulo diagonal entre el pulgar y el índice, con ligereza pero con comodidad.

ESCRIBIR A DOS COLORES CON UNA PLUMA AUTOMÁTICA

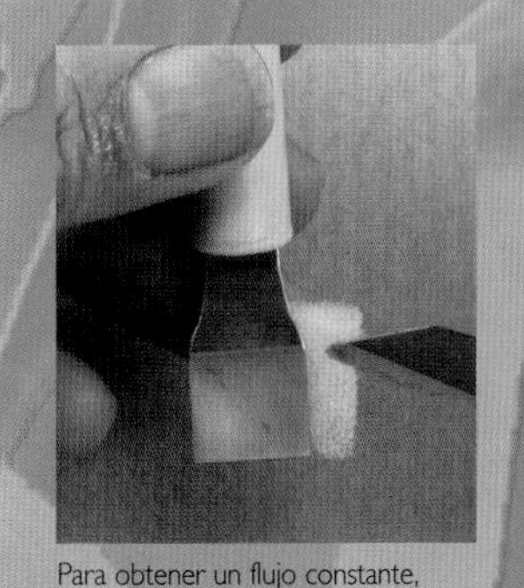

Para obtener un flujo constante, podemos fabricarnos un depósito cortando una esponja con la forma de la cara interior de la pluma de punta ancha y metiéndola dentro.

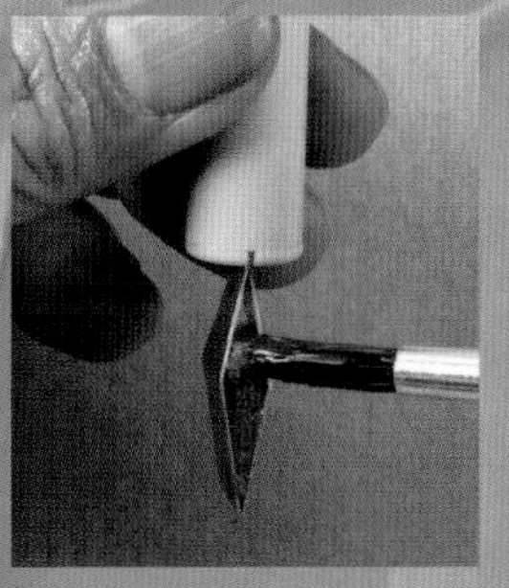

Emplearemos tinta o pintura mixta para que fluya a través de la pluma. Usando un pincel o cuentagotas, aplicaremos la tinta o la pintura azul para cargar la mitad de la esponja.

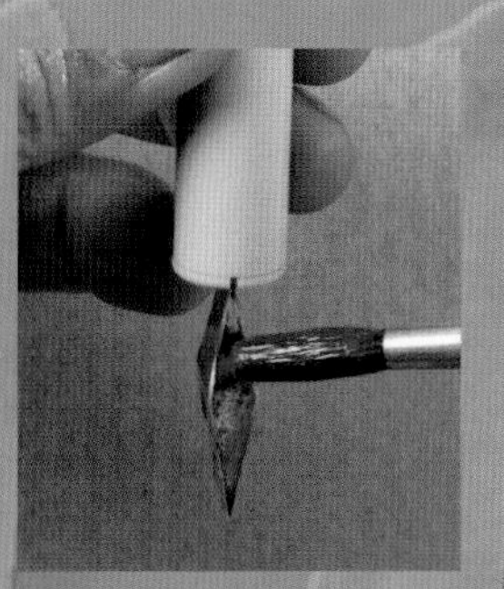

Giraremos la pluma hacia el lado opuesto y aplicamos la tinta o la pintura verde en la otra mitad de la esponja. La esponja tiene que quedar saturada o bien el color no fluirá.

Realizaremos algunos trazos para probar cómo fluyen los dos colores. Al añadir más tinta, hay que recordar poner el color correcto en la cara correspondiente de la esponja.

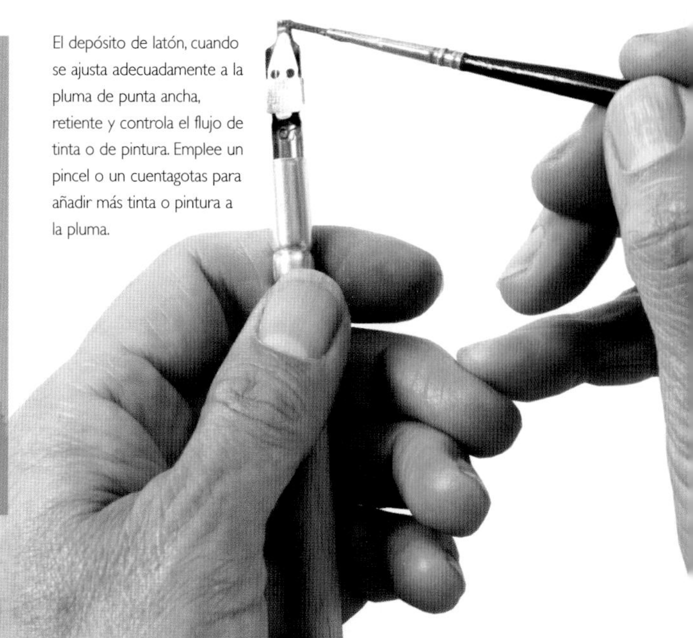

El depósito de latón, cuando se ajusta adecuadamente a la pluma de punta ancha, retiene y controla el flujo de tinta o de pintura. Emplee un pincel o un cuentagotas para añadir más tinta o pintura a la pluma.

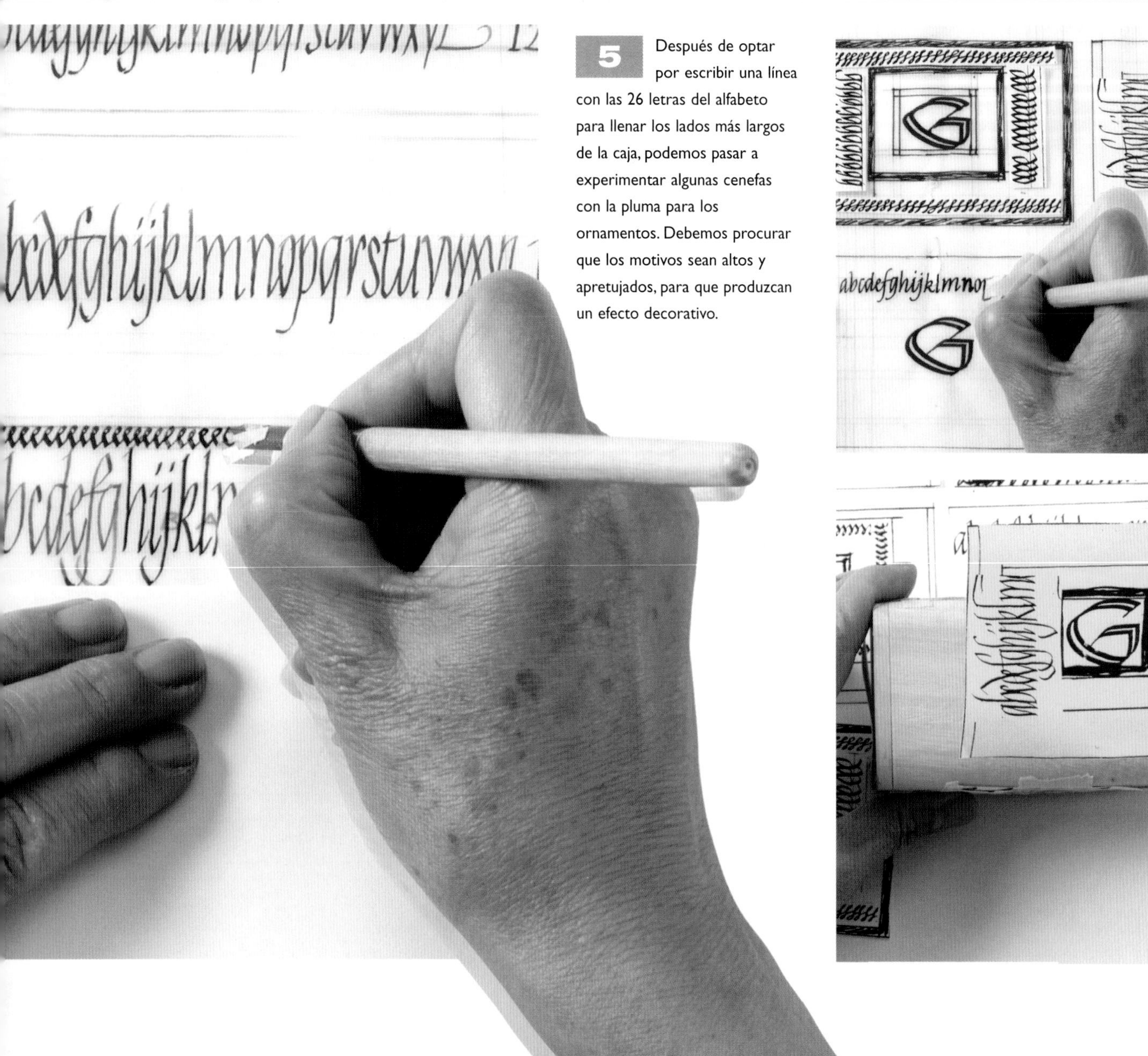

5 Después de optar por escribir una línea con las 26 letras del alfabeto para llenar los lados más largos de la caja, podemos pasar a experimentar algunas cenefas con la pluma para los ornamentos. Debemos procurar que los motivos sean altos y apretujados, para que produzcan un efecto decorativo.

6 Probamos algunos esbozos mientras diseñamos la tapa de la caja. Aquí hemos escrito una cenefa con el alfabeto. En los otros ejemplos se muestran varios estilos decorativos dibujados con la plumilla.

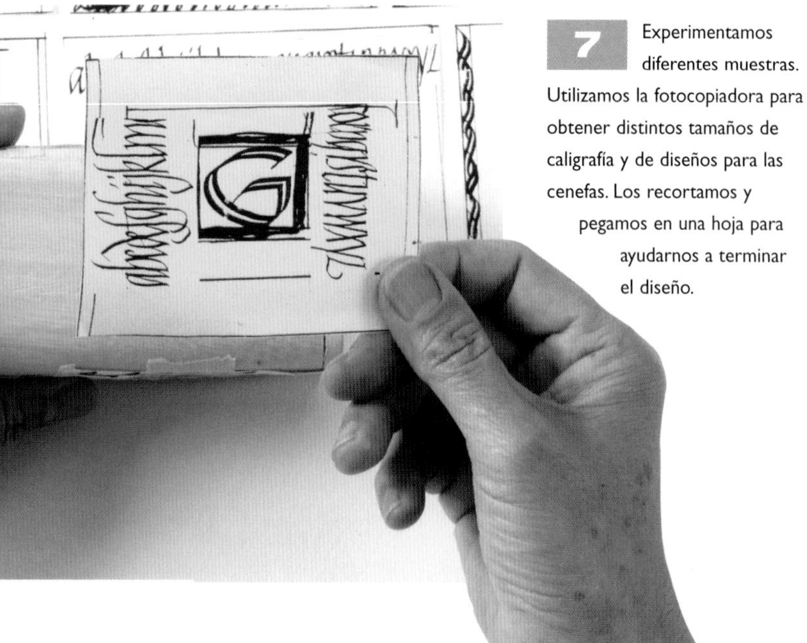

7 Experimentamos diferentes muestras. Utilizamos la fotocopiadora para obtener distintos tamaños de caligrafía y de diseños para las cenefas. Los recortamos y pegamos en una hoja para ayudarnos a terminar el diseño.

Trazos básicos

La principal razón para sujetar el portaplumas en diagonal con la mano es que permite mantener la pluma en un ángulo cómodo para escribir. A lo largo de más de 1.000 años, se ha escrito la mayor parte de los estilos alfabéticos caligráficos tomándose la pluma de ese modo, con el borde de escribir formando un ángulo de entre 30° y 45° grados con la línea horizontal.

Las fotografías de abajo ilustran el empleo de la plumilla caligráfica en un ángulo de 45°. Al escribir con una pluma de punta ancha se pueden generar trazos anchos y espesos y trazos delgados y finos. Sujetar la pluma con ese ángulo nos ayuda a encontrar un equilibrio armonioso entre las líneas delgadas y gruesas.

El ángulo de 45° de la pluma

Tomar la pluma con un ángulo de 45° permite que las líneas anchas y las delgadas se distribuyan por igual, de modo que tanto los trazos horizontales como los verticales queden del mismo grosor. Las diagonales paralelas a la línea de 45° serán líneas delgadas.

Al mantenerse constante el ángulo de la pluma, se crea una pauta de caracteres; el espesor de todas las astas verticales y horizontales es el mismo, mientras que los diagonales se sitúan en el mismo lugar. Esto permite que la forma de las letras sea más estrecha y se escriba con más facilidad, con lo que se ahorra espacio y tiempo.

Se requieren atención y verificaciones frecuentes para mantener constante el ángulo de la pluma. Comprobaremos que todas las verticales tienen la misma anchura y que las formas del comienzo angulado y el final triangular son similares. Nos cercioraremos de que estamos moviendo el codo y de que apoyamos toda la plumilla de manera uniforme sobre el papel.

Localizar los problemas

- Si la tinta no fluye, es posible que se haya obstruido la punta. La limpiaremos con agua caliente y jabón.
- Si la pintura obstruye la plumilla, está demasiado espesa. Añadir agua y remover hasta obtener una consistencia lechosa.
- Si el papel rezuma, puede ser que la tinta o la pintura estén demasiado líquidas o que sea necesario cambiar el papel por otro de mejor calidad.
- Si la plumilla raspea, dibujaremos unos cuantos trazos sobre un papel de lija para quitar las asperezas de la punta de la plumilla.

TRAZOS VERTICALES

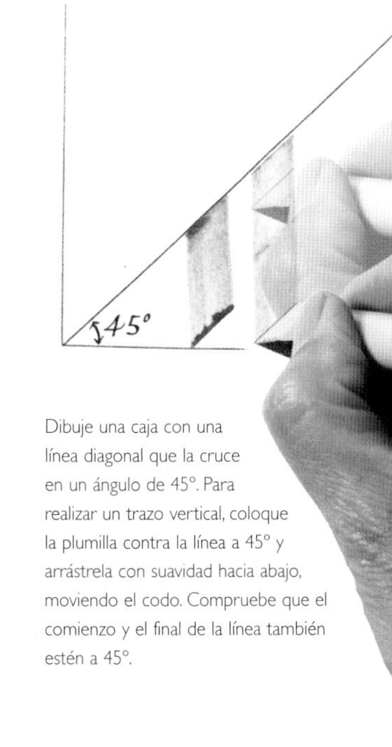

Dibuje una caja con una línea diagonal que la cruce en un ángulo de 45°. Para realizar un trazo vertical, coloque la plumilla contra la línea a 45° y arrástrela con suavidad hacia abajo, moviendo el codo. Compruebe que el comienzo y el final de la línea también estén a 45°.

TRAZOS DIAGONALES

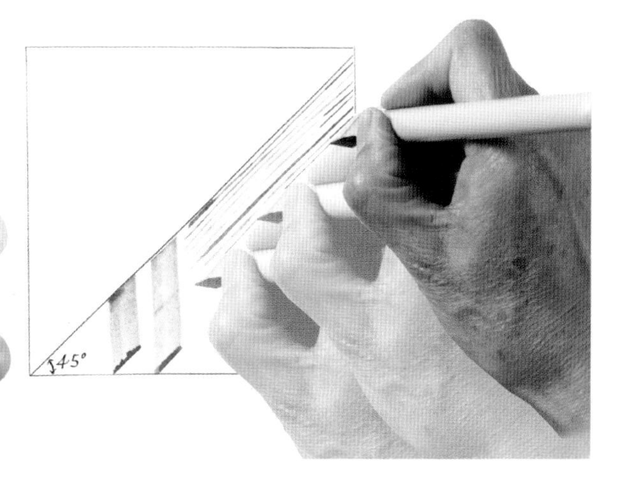

Para realizar un trazo en diagonal, coloque la punta de la plumilla paralela a la línea de 45°. Desplace la mano y el brazo en diagonal hacia arriba, hasta el ángulo superior derecho del rectángulo. Asegúrese de que todo el borde de escritura de la pluma toca el papel mientras traza la raya.

TRAZOS HORIZONTALES

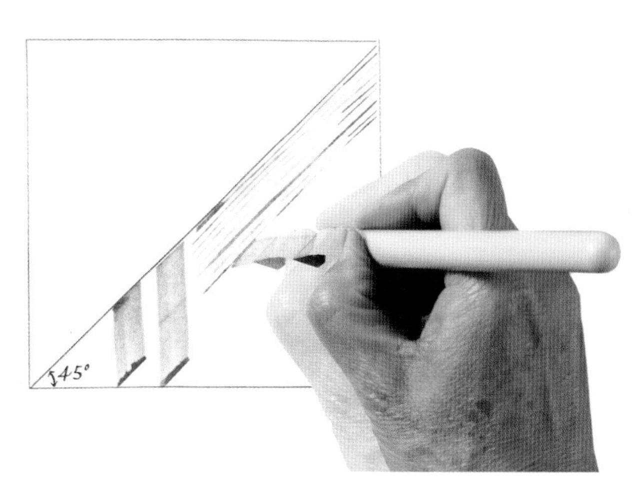

Para efectuar un trazo horizontal, sitúe el borde de escritura de la pluma paralelo a la línea a 45°. Desplace el codo hacia la derecha, mientras sujeta la pluma en un ángulo constante de 45°. El trazo deberá tener siempre la misma anchura y comenzar y terminar a 45°.

1 Elegimos una caja de madera sin pintar ni barnizar y con tapa. Para sellar la superficie de la caja, la barnizamos o le damos una mano de laca o cola blanca de carpintero diluida, empleando un pincel. Dejamos que se seque por completo y la pulimos con papel de lija.

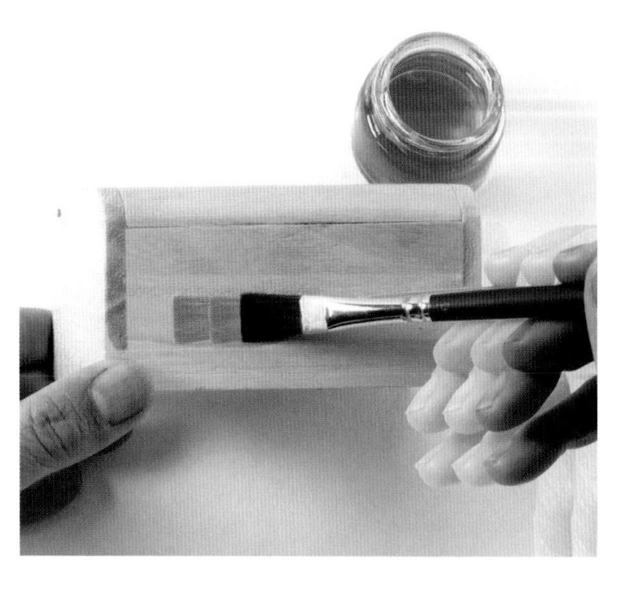

2 Colocamos la caja sobre un papel de calcar de gramaje medio. Dibujamos a lápiz cada uno de sus lados con todo cuidado, incluso la base y la tapa. Giramos la caja y pensamos cómo vamos a decorarla con la caligrafía.

3 Dibujamos con esmero el esquema de la caja, empleando la regla y el rotulador. Eso nos ayudará a hacernos mejor una idea de su forma y de cómo está construida. Observamos, por ejemplo, dónde se sitúan las bisagras. Nos aseguramos de que hemos dibujado todas sus caras.

4 Colocamos una hoja de papel de calcar sobre el esquema que hemos dibujado de los lados de la caja. Empleando una pluma William Mitchell n.° 3½ o su equivalente, escribimos una línea del alfabeto como borrador para evaluar el tamaño y la longitud de los caracteres. Esos experimentos nos resultan útiles para decidir mejor si una idea o un diseño funcionarán después.

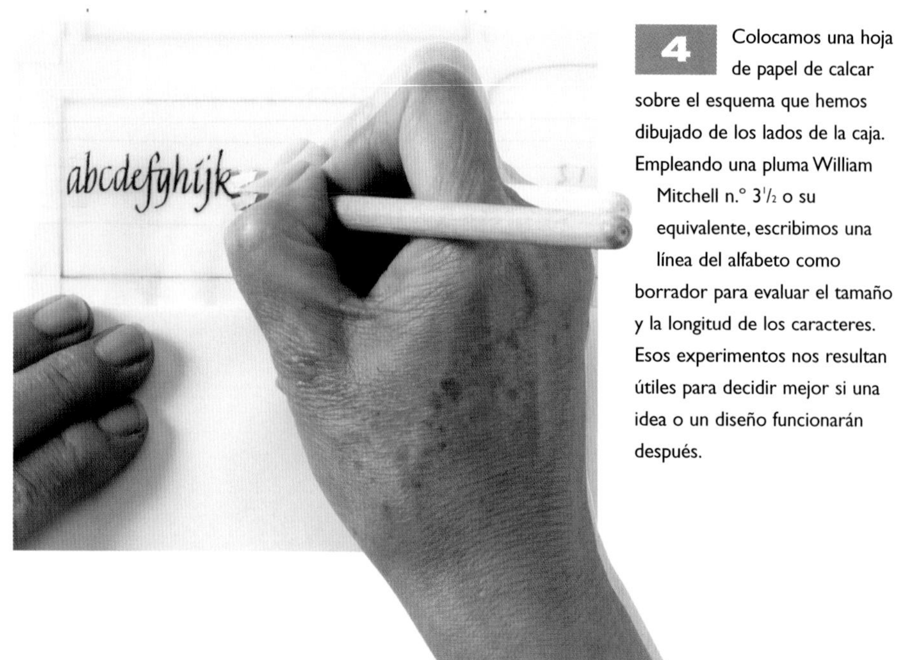

Las letras básicas

Una vez que haya sentido la pluma y sepa realizar los trazos básicos, podrá empezar a combinar los trazos para escribir letras. Primero, tendrá que establecer la altura de las letras de caja baja (las minúsculas). Para hacerlo, efectúe cinco trazos verticales, uno sobre otro (véase figura de la derecha).

▸▸ Para escribir la letra "i", sujetamos la pluma en un ángulo de 45° y hacemos un trazo diagonal ascendente. Con eso obtenemos el remate o ápice. Luego, arrastramos la pluma hacia abajo para crear un asta vertical y acabamos la letra con otro remate en la base.

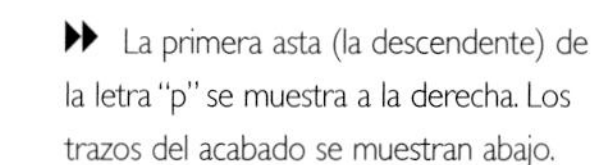

▸▸ La primera asta (la descendente) de la letra "p" se muestra a la derecha. Los trazos del acabado se muestran abajo.

Empezamos con un trazo en diagonal hacia arriba, a 45°. Al llegar al tope, movemos la pluma en diagonal hacia abajo y a la derecha, y efectuamos un trazo muy corto. Luego, bajamos con la pluma para hacer el asta vertical, mientras mantenemos la pluma siempre en un ángulo de 45°. En la base del asta descendente, nos detenemos y levantamos la pluma.

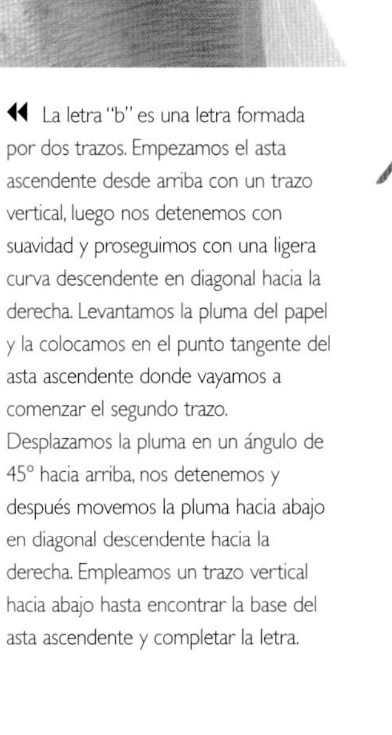

◂◂ La letra "b" es una letra formada por dos trazos. Empezamos el asta ascendente desde arriba con un trazo vertical, luego nos detenemos con suavidad y proseguimos con una ligera curva descendente en diagonal hacia la derecha. Levantamos la pluma del papel y la colocamos en el punto tangente del asta ascendente donde vayamos a comenzar el segundo trazo. Desplazamos la pluma en un ángulo de 45° hacia arriba, nos detenemos y después movemos la pluma hacia abajo en diagonal descendente hacia la derecha. Empleamos un trazo vertical hacia abajo hasta encontrar la base del asta ascendente y completar la letra.

◂◂ Para iniciar el segundo trazo de la letra "p", situamos la pluma en la esquina superior del asta ascendente. Hacemos una línea corta en diagonal hacia arriba, nos detenemos y trazamos una curva gruesa descendente hacia la derecha para establecer la anchura de la letra. Llevamos la pluma hacia abajo para trazar otra asta vertical y nos detenemos. Para terminar de escribir la letra, movemos la pluma hacia la izquierda o la levantamos y la colocamos justo a la izquierda del asta vertical larga y trazamos la base de la letra.

Proyecto 8: **joyero**

Materiales

barniz o laca
cajita sencilla de madera sin pintar, con tapa
cola blanca de carpintero o pegamento sin ácidos en aerosol
escalpelo, cúter o tijeras
lápiz
papel de calcar de gramaje alto y mediano
papel de lija
pastel
pincel duro
plumas caligráficas varias: pluma William Mitchell n.° 3½ o 1 mm o su equivalente, n.° 4 o 8 mm o su equivalente, y una pluma automática n.° 9 (6 mm) o de doble raya o su equivalente
regla
rotulador
tinta a prueba de agua
toallita de papel o trapo

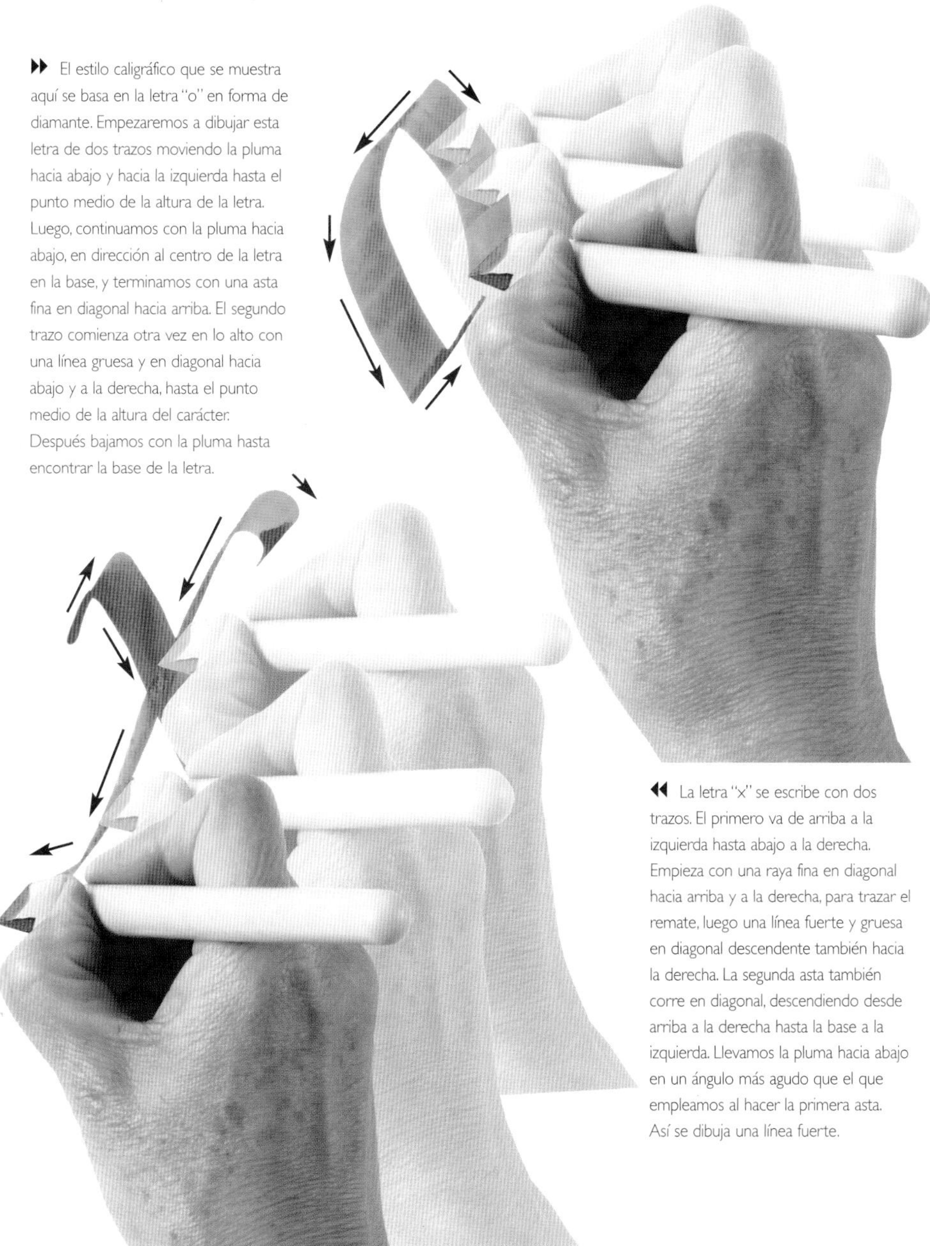

▸▸ El estilo caligráfico que se muestra aquí se basa en la letra "o" en forma de diamante. Empezaremos a dibujar esta letra de dos trazos moviendo la pluma hacia abajo y hacia la izquierda hasta el punto medio de la altura de la letra. Luego, continuamos con la pluma hacia abajo, en dirección al centro de la letra en la base, y terminamos con una asta fina en diagonal hacia arriba. El segundo trazo comienza otra vez en lo alto con una línea gruesa y en diagonal hacia abajo y a la derecha, hasta el punto medio de la altura del carácter. Después bajamos con la pluma hasta encontrar la base de la letra.

◂◂ La letra "x" se escribe con dos trazos. El primero va de arriba a la izquierda hasta abajo a la derecha. Empieza con una raya fina en diagonal hacia arriba y a la derecha, para trazar el remate, luego una línea fuerte y gruesa en diagonal descendente también hacia la derecha. La segunda asta también corre en diagonal, descendiendo desde arriba a la derecha hasta la base a la izquierda. Llevamos la pluma hacia abajo en un ángulo más agudo que el que empleamos al hacer la primera asta. Así se dibuja una línea fuerte.

ESCRIBIR UNA MAYÚSCULA DECORATIVA

En primer lugar, escribimos la letra "L". Para trazar la delgada línea vertical, giramos la pluma para que quede en la vertical, tal como se muestra en la imagen, y luego la llevamos hacia abajo con suavidad.

La línea vertical realiza una ligera curva hacia la izquierda, para seguir el perfil del asta vertical de la letra. Moveremos el brazo para poder escribir con más facilidad esa línea.

Para hacer los "puntos" en diamante, colocamos la pluma de forma que la punta izquierda del borde de escritura toque el asta vertical de la "L". Tiraremos de la pluma hacia abajo, en diagonal hacia la derecha.

Para dibujar el punto siguiente, deslizamos la pluma hacia abajo a la izquierda en un ángulo de 45° hasta que el borde izquierdo de la plumilla vuelva a tocar la "L". Repetimos los pasos 3 y 4 para crear más puntos.

33 Una vez que quedemos satisfechos con nuestra disposición, pegamos las fotografías enmarcadas y las flores secas en sus respectivos lugares sobre el papel del fondo.

34 Recortamos las etiquetas con los nombres científicos, con cuidado de dejar la caligrafía centrada en la tira de papel. Hacemos pruebas con las etiquetas sobre las fotografías de las flores para ayudarnos a elegir su posición definitiva.

35 A consecuencia de la calidad translúcida del papel vitela, empleamos el pegamento sin ácidos en aerosol para adherir las etiquetas sobre las fotografías de las flores. Para rociar de pegamento las etiquetas, las colocamos boca abajo sobre un pedazo de papel suelto y las cubrimos con una capa uniforme del líquido vaporizado.

UNIR LAS LETRAS

Ahora que ya hemos dibujado los trazos básicos y escrito letras sueltas, un buen ejercicio consiste en escribir grupos de letras relacionadas: letras rectas, como la "i", la "l", la "t", la "f" y la "j"; letras arqueadas, como la "r", la "n", la "h", la "b", la "p", la "u" y la "y"; letras redondas, como la "c", la "e", la "o", la "d", la "g" y la "q"; y letras diagonales, como la "v", la "w", la "x", la "y", la "z" y la "k". Preste atención al ángulo de la pluma y a los movimientos del brazo para desarrollar el sentido del ritmo a medida que la pluma dibuja la forma de las letras.

Primero pruebe a escribir palabras, después una frase o párrafo, y más tarde su poema preferido. Observe la proximidad de las letras entre sí, que origina una pauta visual. Al trazar líneas en caligrafía, tome en consideración el espacio entre las letras, las palabras, las líneas y los márgenes. Pero lo más importante de todo es disfrutarlo.

Al escribir el alfabeto, procure recordar mover el brazo al tiempo que desplaza la pluma, así conseguirá que el grosor de los trazos sea siempre el mismo.

Notará que muchas letras tienen formas similares. Por ejemplo, el primer trazo de la letra "o" (el izquierdo) es idéntico a las que encontramos en las letras "c", "d", "g" y "q". De igual modo, el segundo (el derecho) es similar al de las letras "b" y "p". Asimismo, los remates y el tamaño de los caracteres son iguales en todas las letras. Esas cualidades distintivas proporcionan uniformidad y belleza a la caligrafía.

LIMPIEZA DE LAS PLUMAS

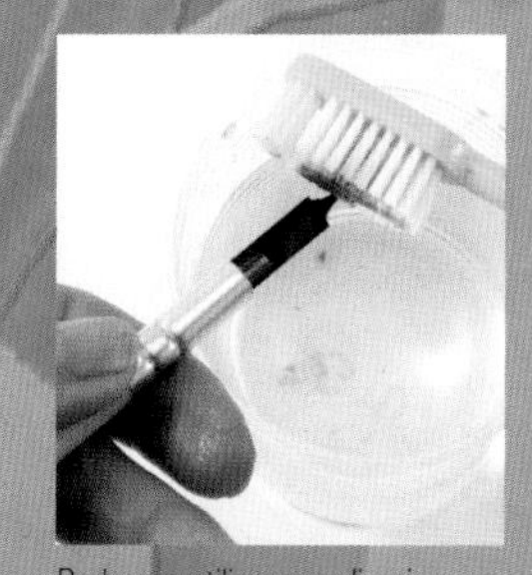

Podemos utilizar agua limpia y un cepillo de dientes para eliminar la tinta o la pintura seca que queda sobre la pluma o en su interior. Secaremos la plumilla con un paño o una toalla de papel.

Para retirar la tinta o la pintura que se haya secado en el interior de una plumilla automática, hacemos pasar un trozo de papel fino y rígido entre las láminas de escritura.

29 Cuando hayamos acabado de escribir los nombres científicos, habremos terminado con todo el trabajo caligráfico. Ahora pasamos a confeccionar los marcos de papel para las fotos de las flores y la columna de palabras con "Primavera" en varios idiomas. Diluimos un poco de pintura a la acuarela en agua, en un *godet* y realizamos una aguada sobre el papel de arroz con un pincel ancho.

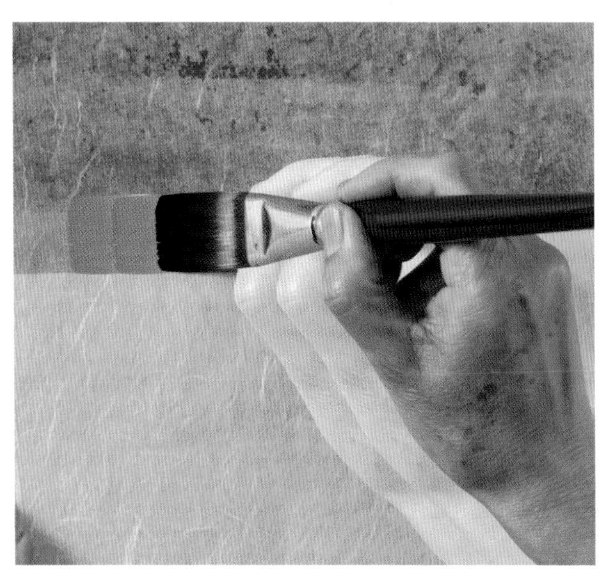

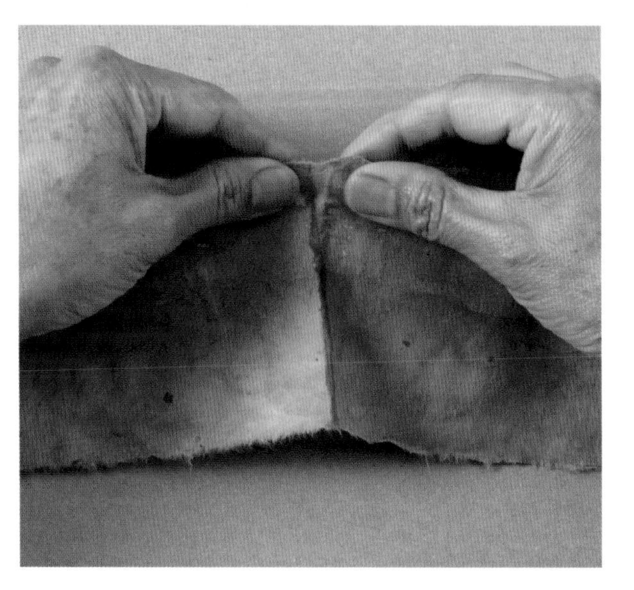

31 Dejamos transcurrir unos minutos para que el papel absorba el agua. Rasgamos la hoja con suavidad a lo largo de la línea húmeda. Así las fibras se rompen y obtenemos unos márgenes con barbas y desiguales.

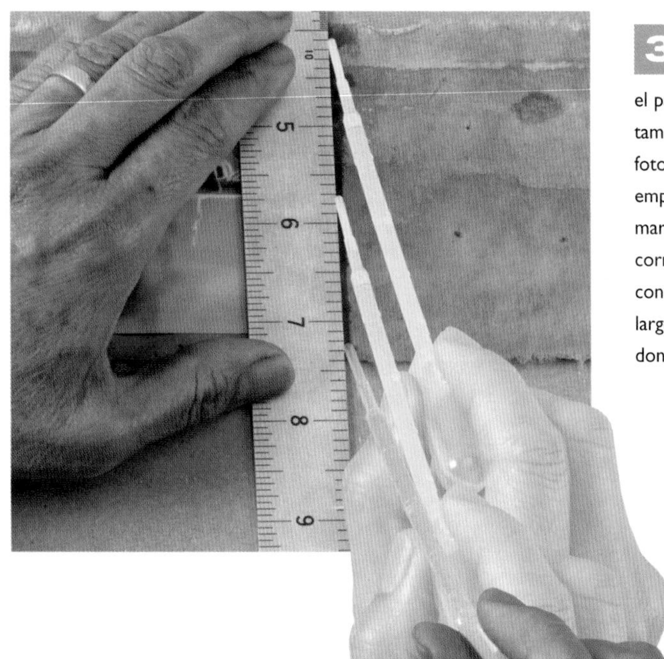

30 Dejamos secar la pintura. Para "cortar" el papel de arroz pintado del tamaño adecuado para las fotografías de las flores, empleamos el lápiz y la regla para marcar las dimensiones correctas. Rellenamos una pipeta con agua y mojamos el papel a lo largo del borde de la regla por donde hemos dibujado la línea.

32 Empleamos la cola blanca de carpintero para pegar las fotografías en los marcos con el fondo de papel coloreado. Disponemos los diferentes elementos que hemos reunido en las columnas que hemos marcado en el papel al principio y organizamos la composición. Para elaborar las flores secas y las hojas, como las que mostramos aquí, las cortamos de la planta y las colocamos entre hojas de papel secante. Las prensamos con algunos libros hasta que estén secas.

Galería

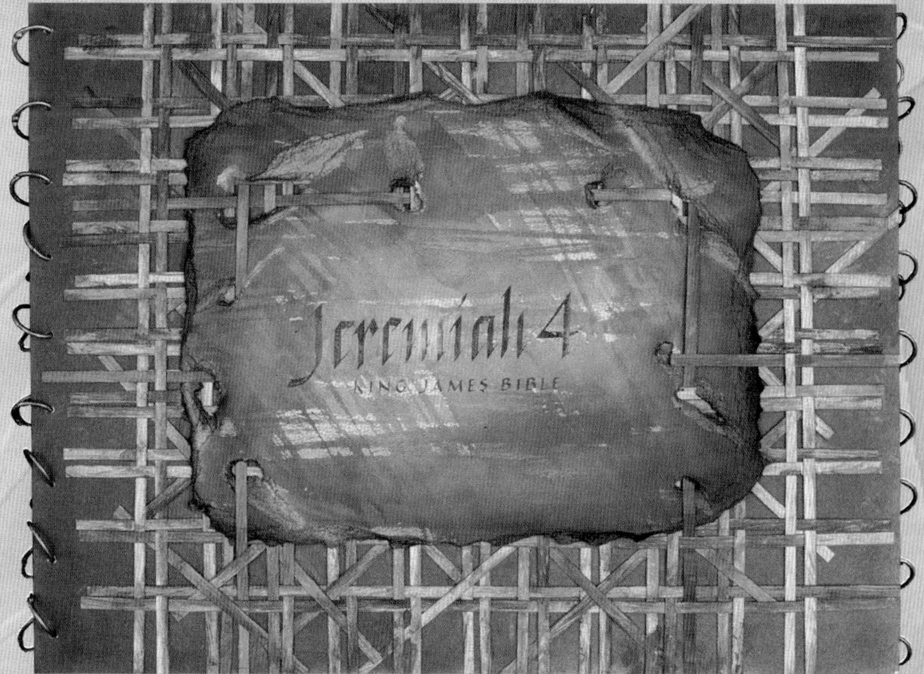

Encrucijadas
Nancy Ruth Leavitt
16,5 cm x 24 cm

Guache con pincel y plumas William Mitchell. Pertenece a una serie de trabajos de formato horizontal que exploran el tema de la carretera y los estudios del color.

Jeremías 4, Biblia del rey Jaime
Elizabeth Forrest
45 cm x 60,5 cm

Cubierta de un libro plegado en acordeón, de cuatro páginas fabricadas en cartoné, unidas con aros metálicos. Tiras de papel pintado imitando madera con fragmentos de papel pintado a la acuarela. Las letras están escritas con pluma.

25 Para escribir la letra "F", incluso cuando es de pequeño tamaño, es necesario que mantengamos constantes tanto el ángulo de la pluma como su movimiento. Realizamos el asta vertical más gruesa que los trazos de las astas horizontales, que serán más finos.

27 Escribimos la letra "x" con dos trazos distintos hacia abajo, el primero de izquierda a derecha y el segundo de derecha a izquierda.

26 Permitimos que la floritura horizontal de la letra "F" llene el vacío que la separa de la letra "s" de "Digitalis".

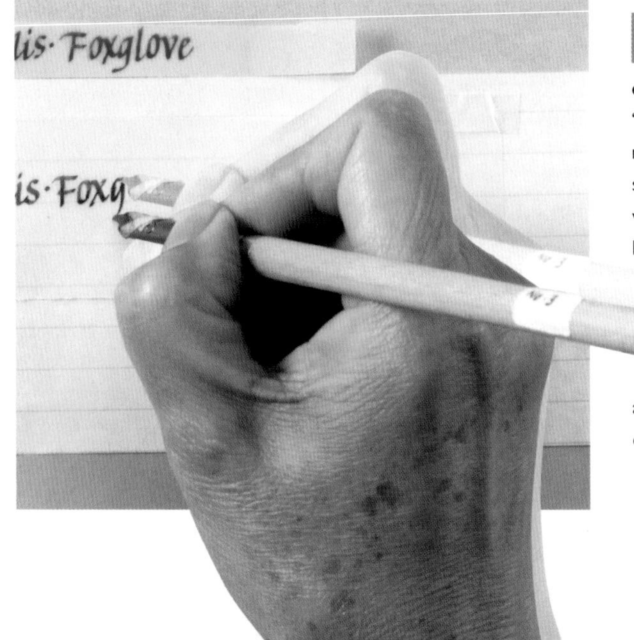

28 En el estilo caligráfico que empleamos aquí, las letras "a", "b", "c","d", "e", "g", "o", "p" y "q" no son realmente redondeadas, sino que tienen los lados casi verticales para hacer juego con la forma de las demás letras. Ese tipo de letra condensada contribuye a acortar el largo de la línea y a que la escritura resulte más compacta.

Alfabeto
Rachel Yallop
17,5 cm x 52,5 cm

Tintas de colores y guache dorado sobre papel para acuarela de gramaje elevado, trazos hechos con pincel grande y plumilla de acero.

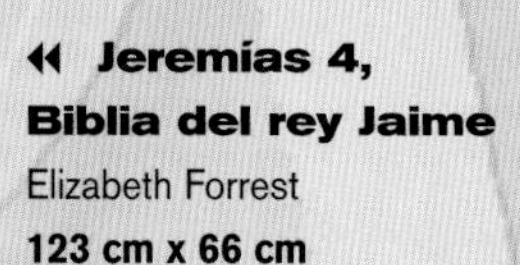

Jeremías 4, Biblia del rey Jaime
Elizabeth Forrest
123 cm x 66 cm

Colgante de pared. Tiras de papel de acuarela entretejidas con material de embalaje. Las letras están pintadas. Suspendido por un bastón de madera.

Regocijarse
Margaret Daubney
10,5 cm x 15,5 cm

Tarjeta de Navidad realizada con guache sobre papel de acuarela de superficie prensada en frío.

21 Al trazar las astas ascendentes, como la de la letra "l", procuraremos que todas las verticales nos salgan paralelas, como las que aparecen en las letras "D", "f" y "d". Esos trazos verticales no son, por lo general, completamente rectos, sino que se inclinan muy ligeramente hacia adelante.

23 La letra "t" es corta. El extremo de su asta transversal no toca la línea de escritura que está por encima de ella. Al igual que antes, esa asta es una línea horizontal más delgada que la vertical.

22 Las astas ascendentes y las descendentes suelen ser cortas en la mayor parte de los estilos caligráficos de escritura, y las letras mayúsculas tienen poca altura. Procuramos seguir este estilo, puesto que las palabras que estamos escribiendo aquí las recortaremos después de modo a que formen tiras horizontales para confeccionar las etiquetas. Si escribimos las letras con las astas muy largas, las tiras resultarán demasiado anchas.

24 En general, la letra "s" se escribe con dos o tres trazos, empezando por arriba. La mitad superior suele ser más pequeña que la inferior. Estaremos atentos a que la letra no se incline hacia un lado.

IS·IT·SO·SMALL·
A·THING
TO·HAVE·ENJOYED
THE·SUN
TO·HAVE·LIVED·LIGHT
IN·THE·SPRING
TO·HAVE·LOVED
TO·HAVE·THOUGHT
TO·HAVE·DONE

MATTHEW ARNOLD

LINES FROM EMPEDOCLES ON ETNA

◂◂ Matthew Arnold; extracto de *Empédocles en el Etna*

Margaret Daubney

51 cm x 41 cm

Guache y pan de oro sobre papel para acuarela Saunders Waterford.

The forward violet
thus did I chide:
'Sweet thief,
whence didst thou steal thy sweet
that smells if not from
thy love's breath?
The purple pride
which on thy soft cheek
for complexion dwells in my love's veins
thou hast too grossly dyed.'

The lily I condemned for thy hand,
and buds of marjoram
had stol'n thy hair;
The roses fearfully on thorns did stand
one blushing shame
another white despair;
A third, nor red, nor white
had stol'n of both,
and to his robbery had annexed thy breath
but for his theft in pride
of all his growth
a vengeful canker eat him up
to death.

More flowers I noted, yet none I could see
But sweet or colour it had stol'n from thee.'

W. SHAKESPEARE - SONNET 99

▸▸ *Soneto 99,* de Shakespeare

Maureen Sullivan

39 cm x 21 cm

Tinta y guache sobre papel Fabriano del número 5. Motivo floral en acuarela.

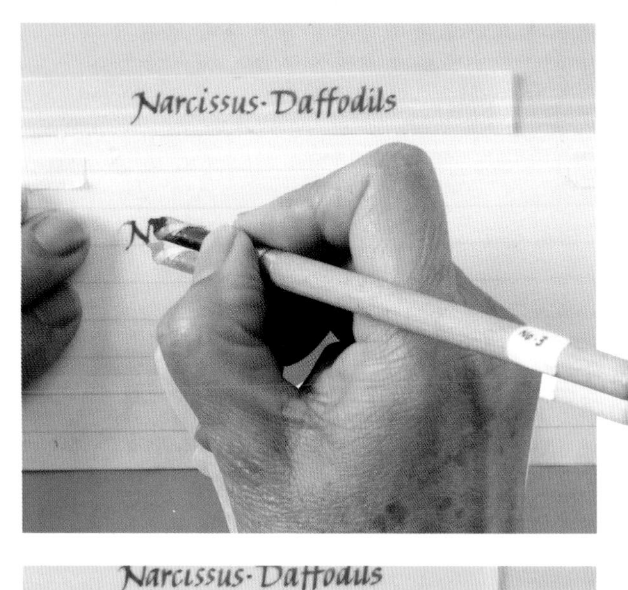

17 A continuación, escribimos con una pluma William Mitchell n.° 3 1/2 o una Speedball C.4 o su equivalente unas cuantas etiquetas con los nombres científicos de las flores que aparecen en las fotografías. Para no cometer errores ortográficos, practicamos primero escribiendo las palabras sobre una hoja de papel de calcar. Después colocamos el papel de vitela encima de un papel pautado y comenzamos a copiar nuestra práctica caligráfica.

18 Mientras escribimos la versión final sobre el papel vitela, permitimos que nuestra caligrafía fluya. No es necesario que procuremos imitar con exactitud la escritura que hemos practicado.

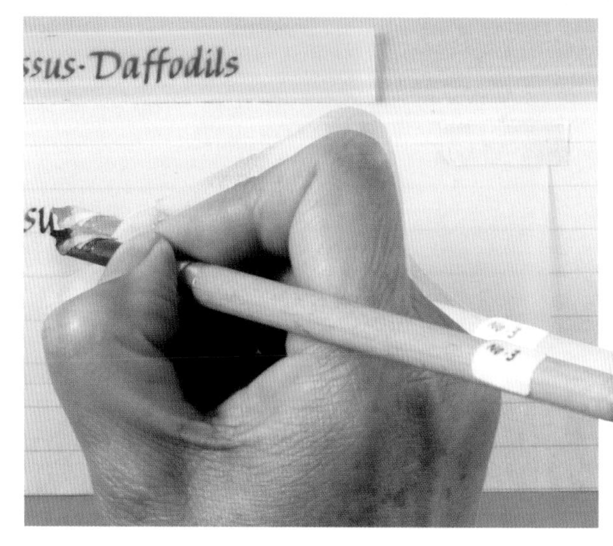

19 Dejamos un espacio reducido entre la letra "s" de "Narcissus", el punto que la sigue y la letra "D" de "Daffodils" (narciso, en inglés), para que el efecto de la escritura sea el de una tira larga de letras.

20 Escribimos en primer lugar el asta vertical de la letra "D". Podemos realizar la terminal horizontal del carácter con un tamaño que sirva para unir el espacio entre esa letra y la "s" final de "Narcissus".

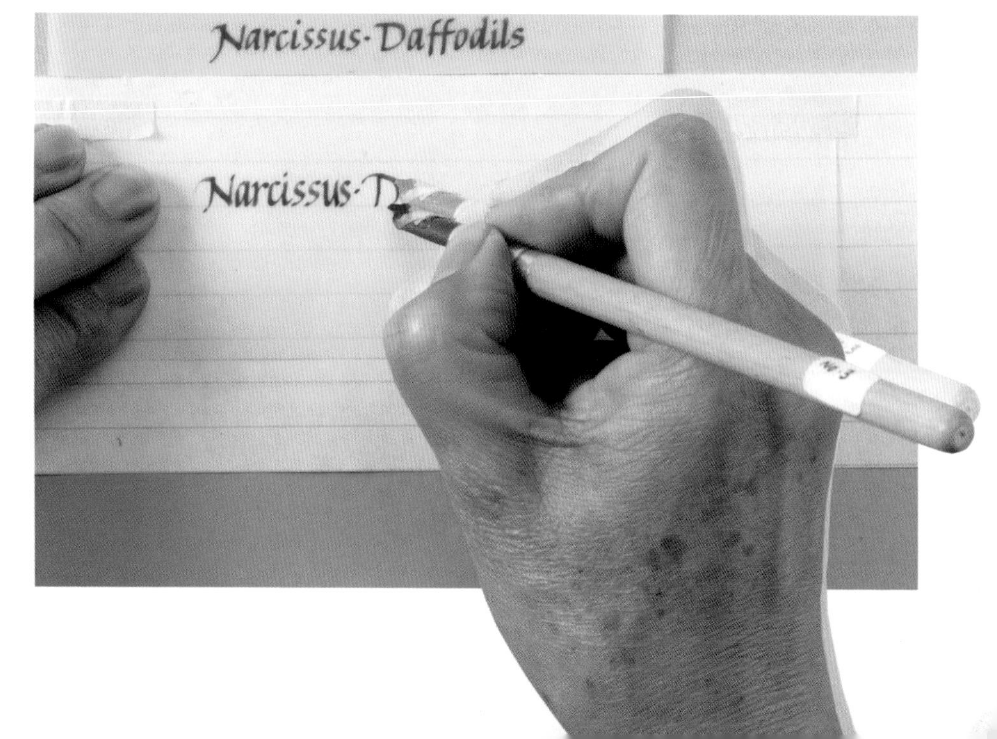

Proyecto 1: **tarjetas para la mesa y carta**

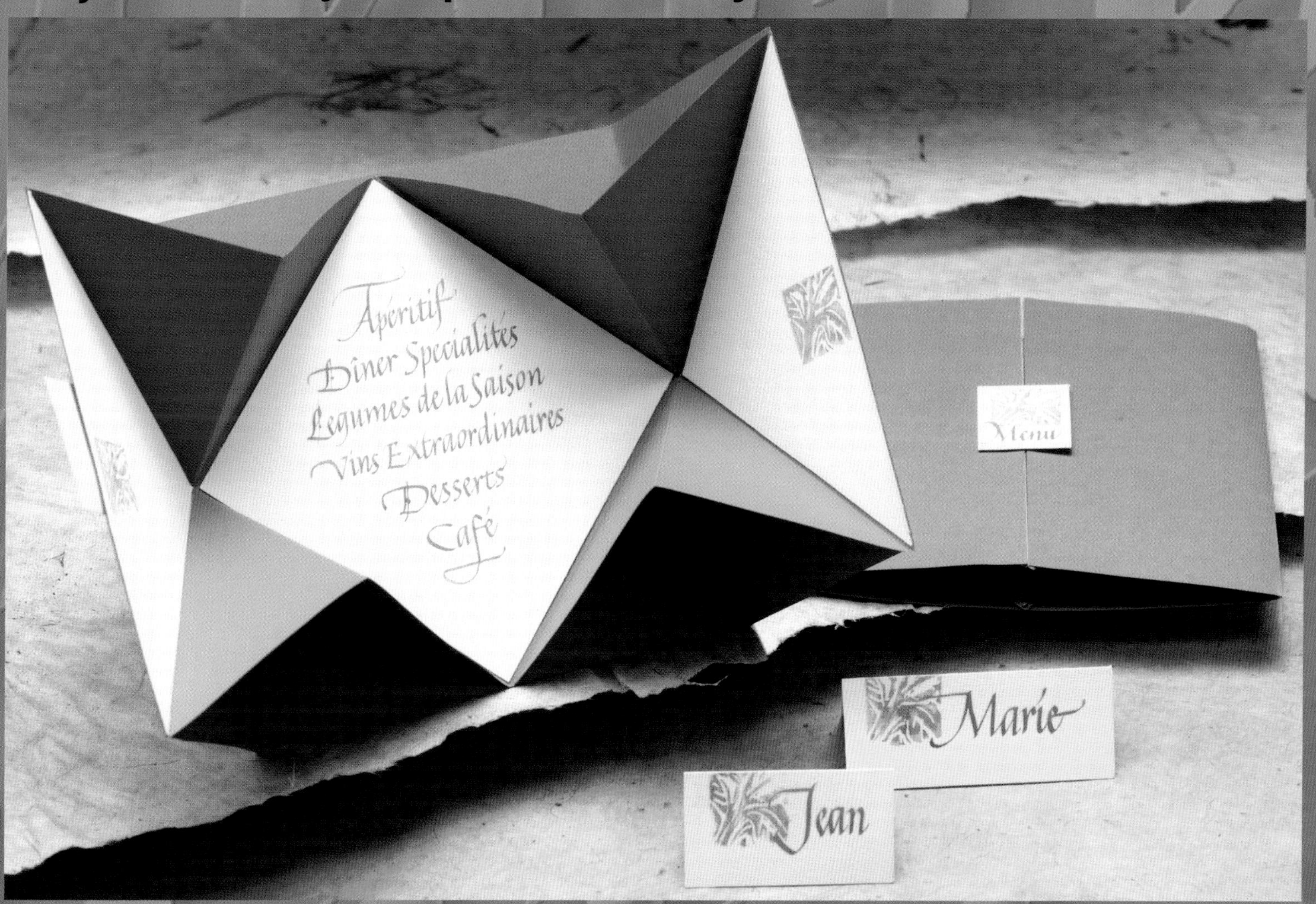

Materiales

cartabón
cinta adhesiva de doble cara
cola blanca de carpintero o pegamento de barra
cuchilla o escalpelo
cúter para linóleo en V
escuadra en forma de T
godets
goma arábiga
gomas de borrar de vinilo o nailon
lápiz
papel de calcar
papel de calcar de grafito
papel de gramaje alto y medio de dos colores distintos
pincel sencillo
pintura guache
plegador de hueso
plumas William Mitchell n.° 3 o 1,1 mm o equivalente y n.° 3 1/2 o 1 mm o equivalente
polvo metálico dorados
regla
rotuladores negro y rojo de punta fina
trozos de papel sueltos

13 Empleamos diferentes colores de acuarela, como el azul de ultramar y el azul cerúleo, para cada uno de los distintos idiomas en que escribimos la palabra "primavera". Cada color se fabrica a partir de diferentes minerales y pigmentos; por lo tanto, se mezclan y fluyen a través de la pluma de forma algo distinta y producen, asimismo, resultados que varían ligeramente.

15 Empleamos los trazos dobles con una floritura para la letra "H" de "Haru".

14 Lavamos bien la plumilla antes de pasar a otro color.

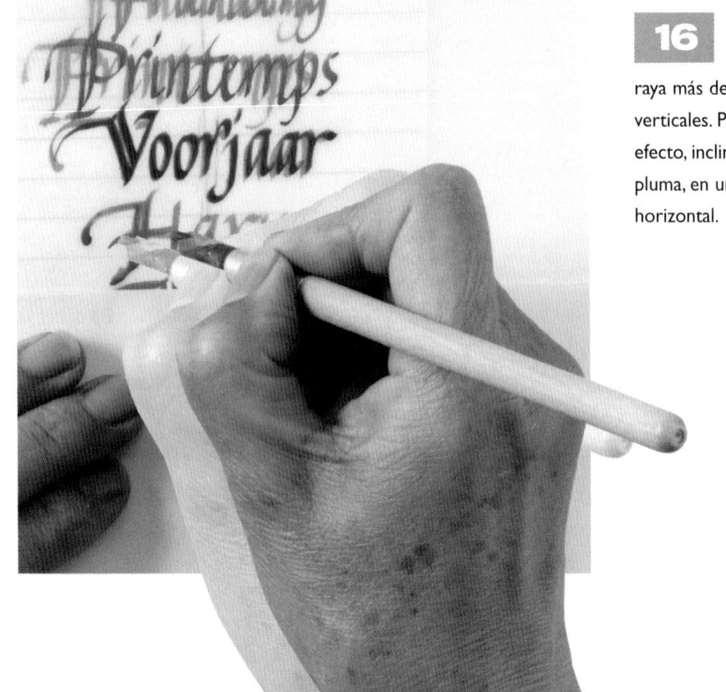

16 El asta transversal de la letra "H" es una raya más delgada que las astas verticales. Para producir ese efecto, inclinamos levemente la pluma, en un ángulo más horizontal.

1 Para decorar nuestra tarjeta para la mesa confeccionaremos en primer lugar un sello de goma con un dibujo sencillo. El diseño que aquí se muestra consiste en un tallo con algunas hojas. Para buscar inspiración, podemos hojear diseños de azulejos, de vidrio emplomado o de libros de sellos de goma. Dibujamos con el rotulador negro algunas ideas en el papel de calcar, en unos cuadrados de 2,5 cm de lado y después elegimos la que más nos guste.

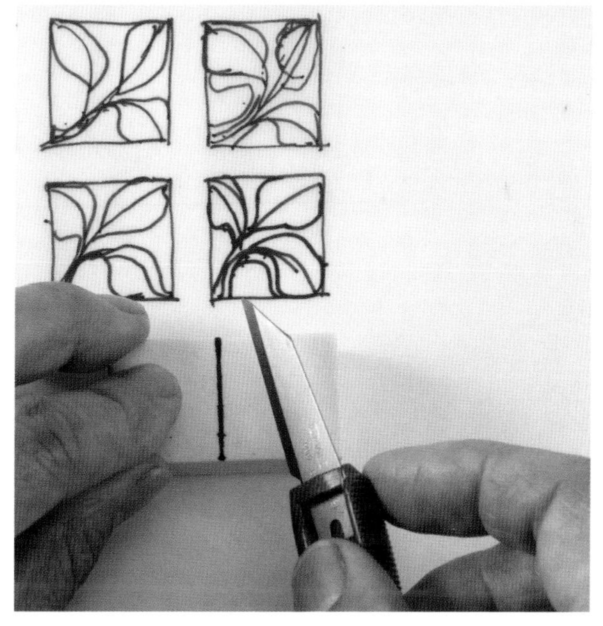

3 Con un cúter afilado o un escalpelo cortamos con cuidado la goma siguiendo la línea que hemos trazado. La cortaremos despacio, apartando los dedos del punto de corte. Cortar la goma de borrar resulta tan fácil como partir lonchas de queso.

4 Ahora le damos la vuelta al papel de calcar, porque el estampado hecho con un sello de goma es una imagen "inversa", como la de un espejo.

2 A continuación, escogemos una goma de borrar con la que elaborar el sello. Emplearemos una de nailon o de un vinilo que no sea abrasivo. No es conveniente utilizar las gomas de borrar moldeadas y las de goma india, porque son demasiado blandas para conservar el diseño. Luego marcamos con una regla en la goma de borrar las dimensiones del dibujo que hemos realizado sobre el papel de calcar.

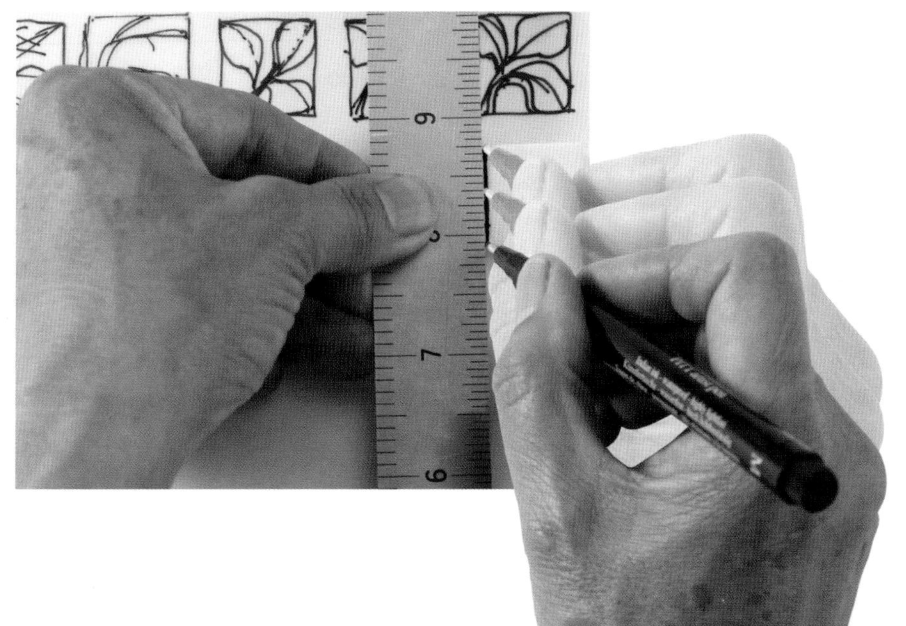

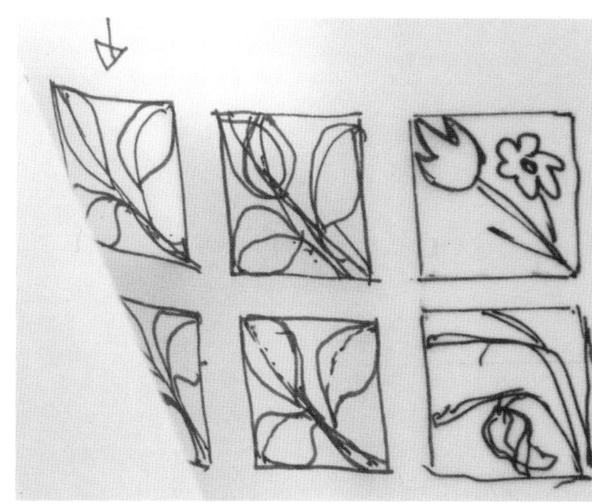

9 Para elaborar la versión final, colocamos una hoja de papel de vitela sobre las palabras que hemos practicado y empezamos a escribir con la acuarela de color verde oliva. No es necesario que intentemos copiar exactamente las letras tal como las escribimos antes, sino que permitamos que la mano y la pluma desarrollen un ritmo relajado y natural al escribir.

11 Levantamos la mano y volvemos a situarla en lo alto del asta para terminar de escribir el carácter.

10 Cuando se escribe sobre un papel suave como el de vitela, la pluma se desplaza por la página con mucha más facilidad que sobre otros papeles más absorbentes. Mantenemos una velocidad de escritura constante y movemos el brazo hacia abajo al trazar la primera asta de la letra "p".

12 Al igual que la letra "v", la "r" sube más allá de la línea de escritura.

5 Colocamos el papel de calcar del revés sobre la goma de borrar. Después deslizamos una hoja de papel de grafito entre el papel de calcar y la goma. Con el rotulador rojo repasamos nuestro diseño. Retiramos el papel de calcar y el de grafito y descubriremos que el diseño que hemos traspasado a la goma está muy apagado. Para que se quede más nítido, repasamos las líneas con el rotulador. Si es necesario, haga algún retoque hasta asegurarse de que queda satisfecho de su dibujo.

7 Es interesante efectuar en la goma ranuras de diferentes longitud y grosor, para proporcionar más variedad al diseño. Luego prepararemos un poco de guache verde y lo aplicamos sobre la goma con un pincel sencillo. En un trozo de papel haremos una prueba de impresión con el sello de goma todavía sin terminar. Eso nos permitirá comprobar qué apariencia tiene el diseño y en qué áreas necesitamos profundizar más.

6 Con el cúter para linóleo en V empezamos a grabar y retirar una capa de goma al lado de las líneas que hemos dibujado.

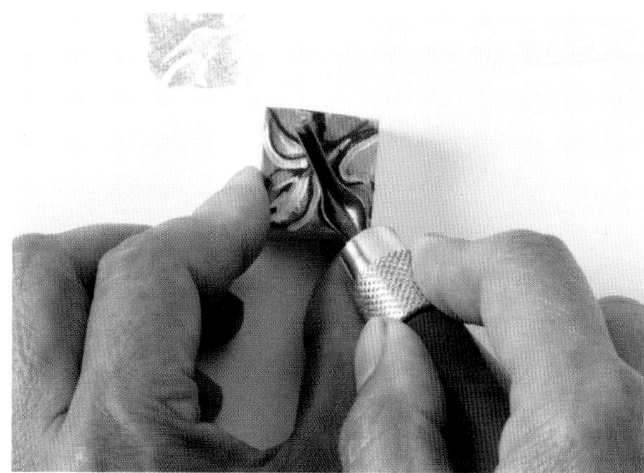

8 Con la cuchilla de linóleo, seguimos grabando y quitando trozos de la superficie de la goma hasta completar nuestro diseño.

5 Realizamos algunas prácticas con la letra mayúscula de doble raya "P" de "Primavera", que es tanto española como italiana. Movemos la pluma hacia abajo para hacer los dos trazos. Terminamos con la lágrima y la panza redondeada del carácter.

7 Algunos caracteres, como la letra "v", pueden contar con una floritura y desbordar la línea de escritura.

8 Para escribir la letra "F" de "Frühling" (primavera, en alemán) movemos toda la mano para mantener un ritmo suave en la escritura. El primer y el segundo trazos son las dos líneas paralelas verticales. Ponemos la pluma un poco más vertical, de modo que las astas horizontales nos salgan más finas que las verticales.

6 Procuramos conseguir que nuestra caligrafía tenga ritmo y fluidez, y también prevemos cómo vamos a escribir las letras antes de comenzar a hacerlo.

9 Para realzar el guache verde, mezclamos en un *godet* un poco de goma arábiga (unas 10-15 gotas) con media cucharilla de polvo metálico dorado, hasta que la mezcla adquiera la consistencia de una natilla. Ponemos el guache en el *godet*, directamente del tubo sin añadirle agua, o muy poca.

11 Dibujamos una línea horizontal en un trozo de papel para que nos sirva de guía, y después realizamos algunas pruebas de impresión con el sello. Sujetamos el sello con firmeza y lo presionamos de manera uniforme para asegurarnos que las esquinas entran en contacto con el papel.

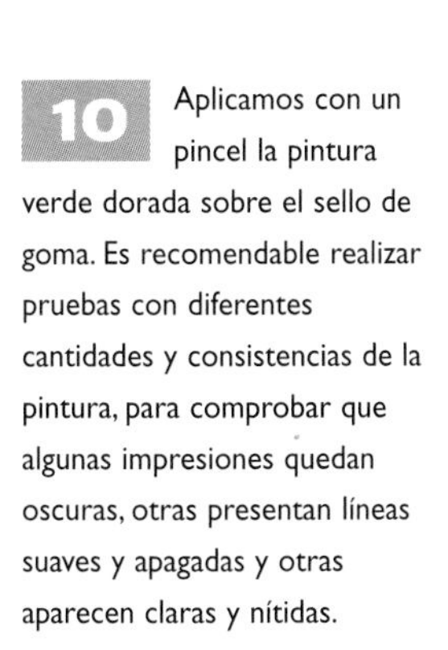

10 Aplicamos con un pincel la pintura verde dorada sobre el sello de goma. Es recomendable realizar pruebas con diferentes cantidades y consistencias de la pintura, para comprobar que algunas impresiones quedan oscuras, otras presentan líneas suaves y apagadas y otras aparecen claras y nítidas.

12 Existe una gran variedad de papeles de diferentes tipos y colores, todos adecuados para realizar este proyecto, como el papel amarillo de gramaje alto que se muestra aquí. La forma más sencilla de confeccionar tarjetas para la mesa es dibujar líneas horizontales en el papel, a una distancia de 1,8 cm unas de otras, para trazar las pautas para escribir. Luego cortamos el papel con la cuchilla o el escalpelo en tiras verticales de unos 10 cm de ancho.

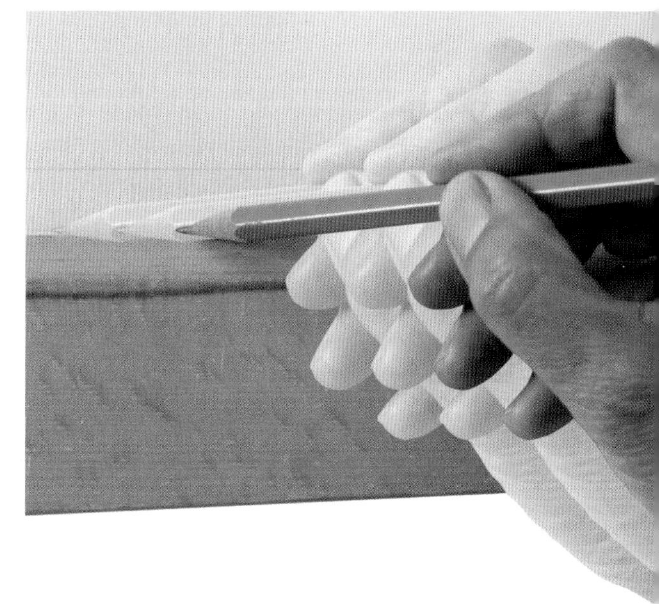

1 Podemos decorar nuestro álbum de recortes con casi cualquier cosa que se nos ocurra. Aquí se han utilizado fotografías de flores sacadas de un libro viejo, diferentes papeles de colores, tiras de papel de vitela para las etiquetas, papel de arroz para el marco del fondo y flores secas para crear un atractivo tema primaveral.

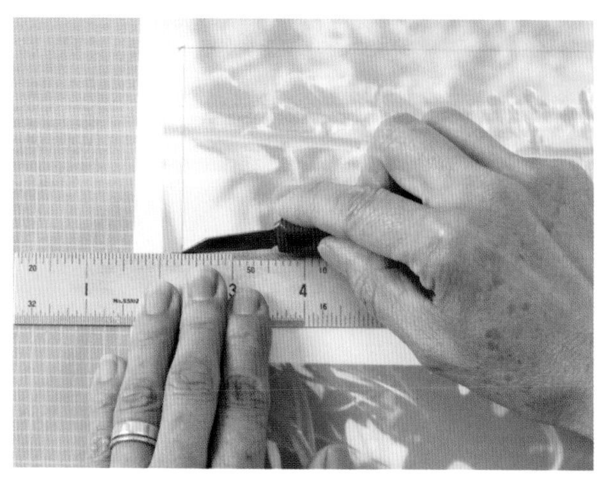

3 Colocamos el papel de calcar sobre el de gramaje alto y dibujamos el ancho y la longitud de la columna. Después ponemos el papel de calcar sobre una fotografía y seleccionamos un área que nos guste, del mismo tamaño que la columna. Marcamos esa zona con un corte en cada esquina y recortamos entonces las fotografías con el cúter o el escalpelo.

2 Para confeccionar la tapa del álbum de recortes, tomaremos un trozo de papel de gramaje elevado. Empleamos la escuadra en forma de T y el cartabón para dividir la página en tres columnas. Este proyecto va tomando su aspecto final por partes, y va moldeando progresivamente la apariencia y la personalidad del libro de recortes.

4 A continuación, practicamos nuestra caligrafía escribiendo con una pluma William Mitchell n.° 2 o su equivalente. La primera palabra con la que realizaremos este ejemplo será "Spring" (primavera, en inglés). Escribimos la letra inicial, "S", en el estilo de letras mayúsculas de doble raya. El primer trazo es el superior y después dibujamos el segundo, paralelo al primero.

13 Ahora estamos listos para empezar a estampar con el sello de goma y a escribir un poco de caligrafía. Aplicamos la cantidad deseada de pintura en el sello y, empezando por el borde izquierdo de la tira de papel y usando como guía el borde horizontal inferior, hacemos la impresión.

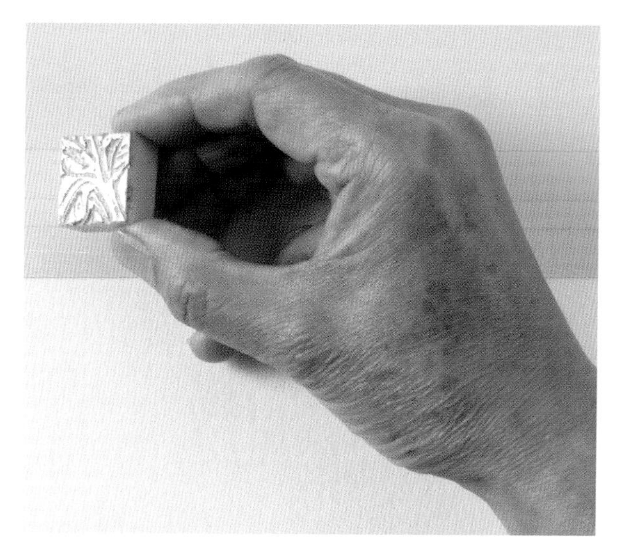

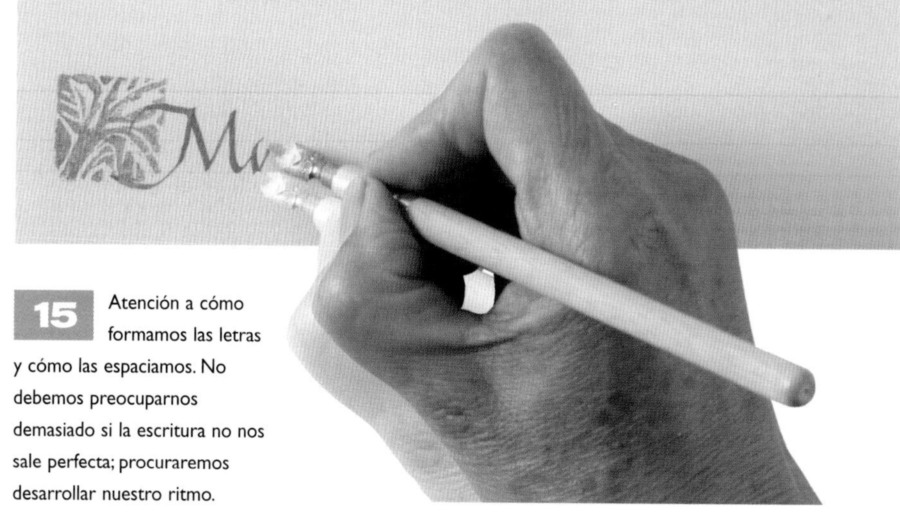

15 Atención a cómo formamos las letras y cómo las espaciamos. No debemos preocuparnos demasiado si la escritura no nos sale perfecta; procuraremos desarrollar nuestro ritmo.

14 El nombre tomado para este ejemplo es "Marie". En primer lugar, mezclamos la pintura con agua; luego, rellenamos la pluma, utilizando un pincel. Comenzamos con el asta vertical izquierda de la letra "M". Observe que la primera floritura izquierda del carácter se superpone a la impresión hecha por el sello de goma. Sujetamos la pluma con suavidad al escribir y procuramos desarrollar un ritmo propio. Empleamos más presión al trazar las astas descendentes que las ascendentes, para conseguir que las líneas tengan tonos diferentes.

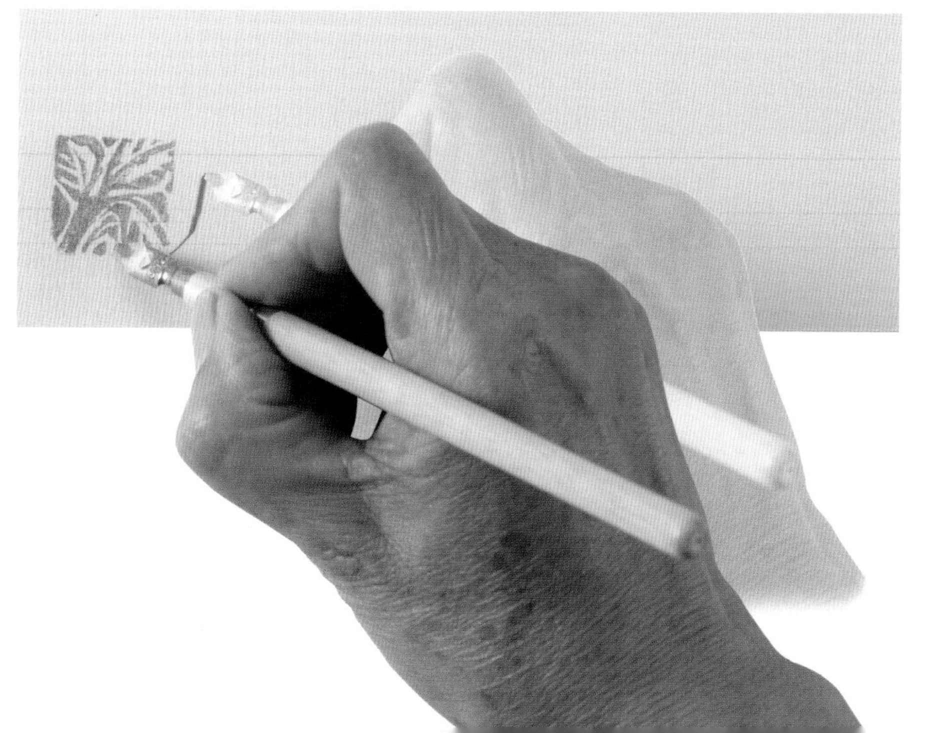

16 Intentaremos prever cada letra al tiempo que escribimos, para generar una escritura armoniosa. En este punto, verificamos cuánto nos queda de pintura y, si es necesario, volvemos a rellenar la pluma.

Proyecto 7: **cubierta para álbum de recortes**

Materiales

alfombrilla para cortar
cartabón (escuadra en triangular)
cola blanca de carpintero
cúter o escalpelo
flores secas
fotografías en papel
godets
lápiz
libro de recortes
papel de arroz
papel de gramaje alto en varios colores
papel secante
papel vitela
pegamento sin ácidos en aerosol
pincel ancho
pintura a la acuarela de color verde oliva, azul ultramar y azul cerúleo
pinturas al guache
pipeta o cuentagotas
plumas William Mitchell n.° 2½ o 1,8 mm o su equivalente y n.° 3 o 1 mm o su equivalente, o Speedball C.4
regla

17 Después de terminar de escribir la letra "e" nos detenemos y cambiamos la posición de la mano y del brazo para realizar un trazo horizontal y dibujar la floritura. Acabamos éste con una última raya fina hacia arriba. Con eso terminamos una tarjeta con un nombre para la mesa.

18 Comenzamos la siguiente tarjeta en la misma tira larga de papel, pero dejando suficiente espacio entre un nombre y otro para poder cortarlos cómodamente, teniendo en cuenta que se deberán doblar para que se aguanten sobre la mesa. Aplicamos más pintura al sello de goma y realizamos otra impresión del mismo modo como hicimos la primera.

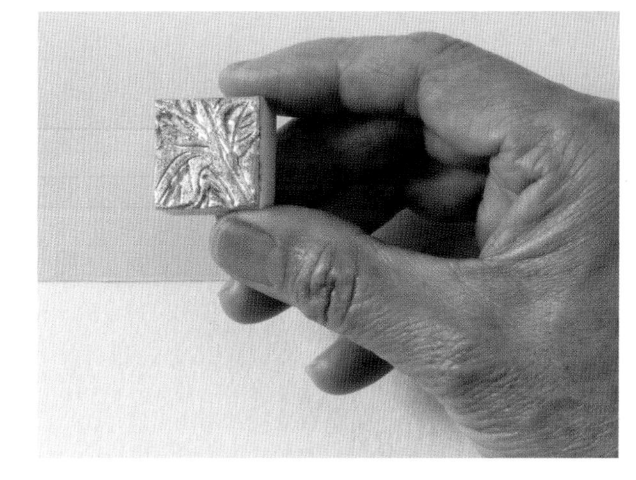

19 Comprobamos que la pintura en el interior de la pluma todavía está húmeda escribiendo sobre un trozo de papel. Si la pintura se ha secado, lavamos la pluma, la secamos y volvemos a rellenarla.

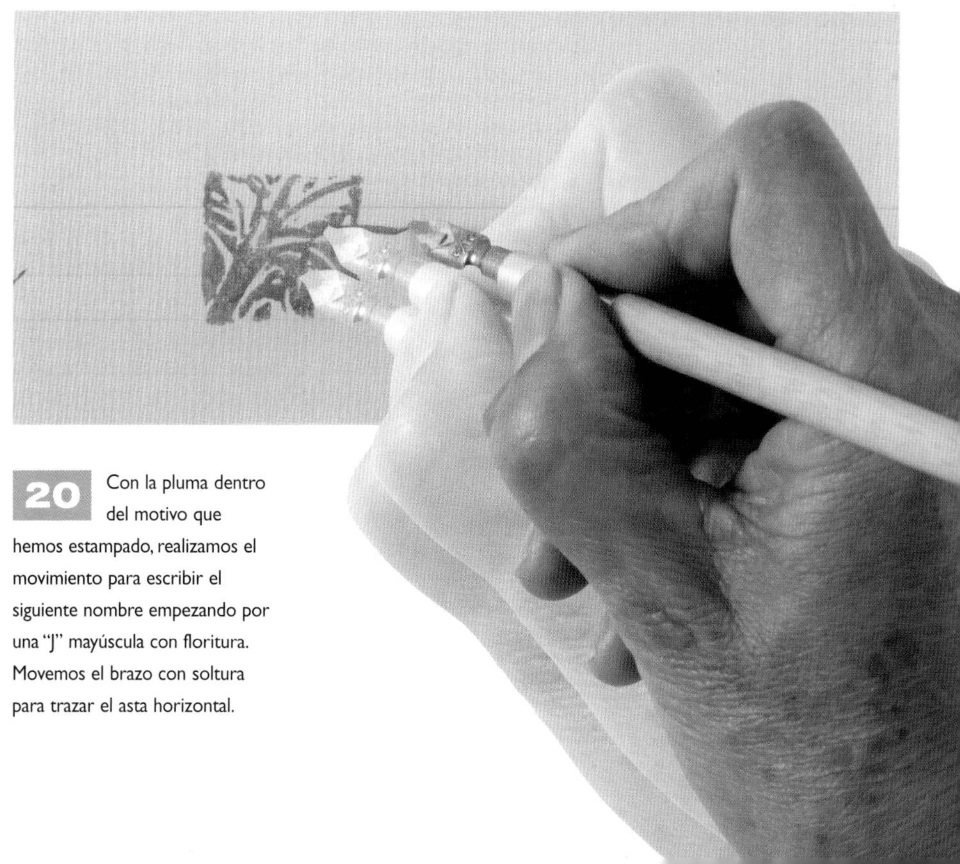

20 Con la pluma dentro del motivo que hemos estampado, realizamos el movimiento para escribir el siguiente nombre empezando por una "J" mayúscula con floritura. Movemos el brazo con soltura para trazar el asta horizontal.

32 Para acabar de hacer el pliegue, ponemos los dedos de las dos manos sobre el centro del doblez, tal como muestra la fotografía, y los bajamos hasta el borde inferior. Volvemos a colocar los dedos en el centro y los llevamos hasta el borde superior.

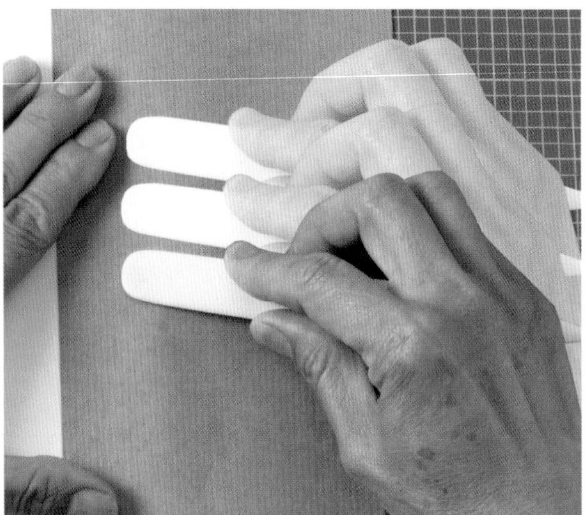

33 Los papeles de gramaje alto en ocasiones resultan difíciles de doblar. Si se da ese caso, situamos una hoja limpia de papel *kraft* sobre el pliegue y lo prensamos con firmeza, empleando para ello el extremo redondeado del plegador de hueso.

34 Después, colocamos el adorno que ya habíamos preparado en la parte delantera de la tarjeta. Decidimos el lugar donde deseamos situarlo y marcamos en la tarjeta cada esquina del cuadrado con un ligero punto a lápiz. Después ponemos el diseño boca abajo sobre un trozo de papel de estraza. Le aplicamos pegamento de barra o cola de carpintero en el dorso y lo pegamos en la parte frontal de la tarjeta.

21 Escribimos en primer lugar la línea horizontal de la "J" mayúscula y proseguimos hacia abajo con el asta descendente vertical, para terminar con un trazo ascendente. Levantamos la pluma del papel antes de empezar la letra siguiente. Procuramos, también en esta ocasión, desarrollar un ritmo propio a medida que escribimos.

22 En caligrafía, la letra "e" se escribe con dos trazos. Empezamos ambos por arriba y después conducimos la pluma hacia abajo.

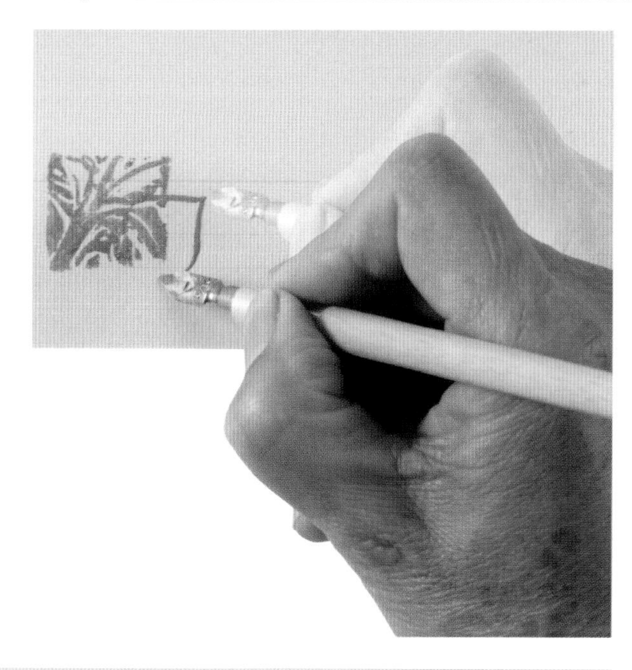

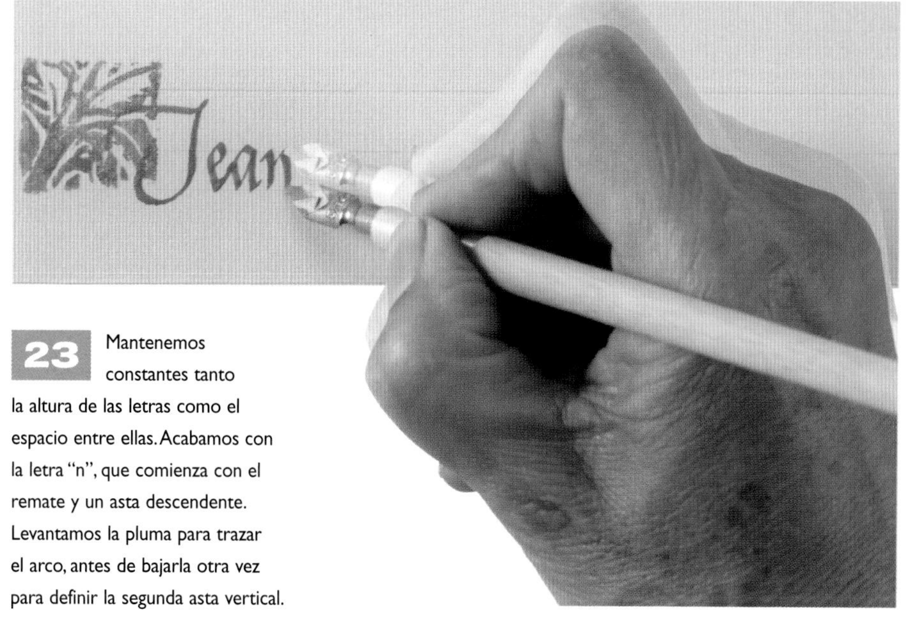

23 Mantenemos constantes tanto la altura de las letras como el espacio entre ellas. Acabamos con la letra "n", que comienza con el remate y un asta descendente. Levantamos la pluma para trazar el arco, antes de bajarla otra vez para definir la segunda asta vertical.

24 Para acabar la letra, dibujamos otro remate. Lo hacemos con un trazo muy ligero en diagonal ascendente.

29 A continuación, hacemos un pliegue en la tarjeta. Dado que el papel es grueso, resulta preferible marcar una raya para poder doblar con precisión el papel. Para ello, empleamos una regla para fijar la línea y pasamos con decisión el extremo afilado del plegador de hueso a lo largo del borde de la regla. Marcamos la tarjeta dos veces.

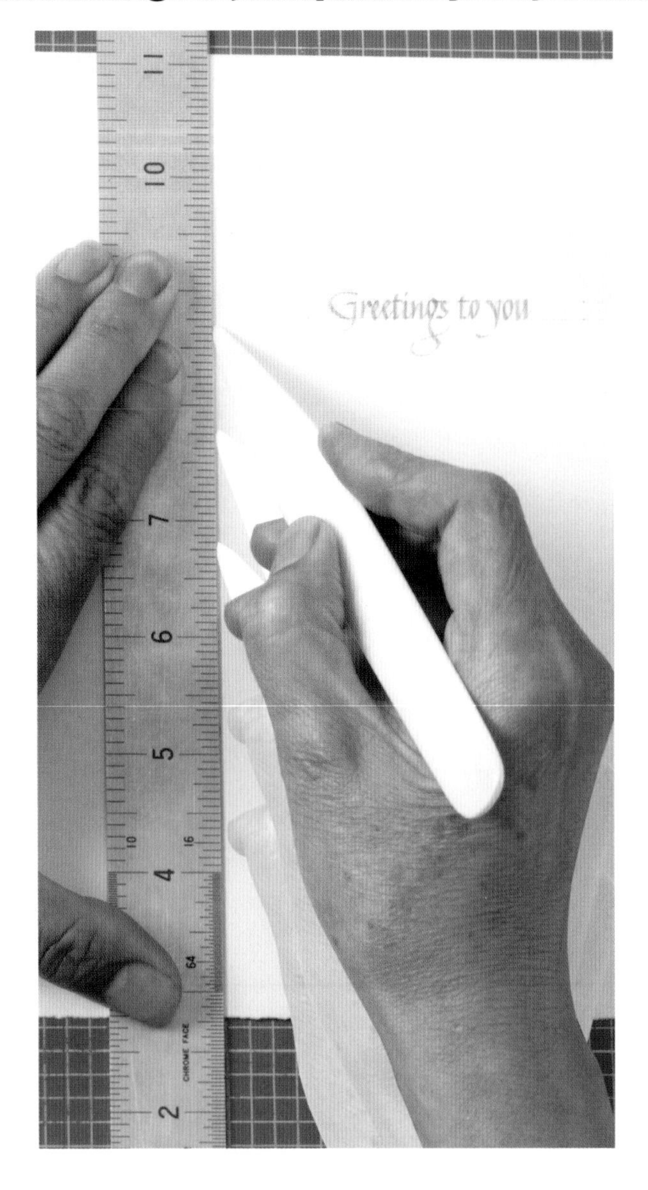

30 Empezamos a doblar la tarjeta. Mantenemos la mano izquierda próxima a la línea central del pliegue para sujetar el papel en su posición, mientras llevamos la otra solapa hacia la derecha.

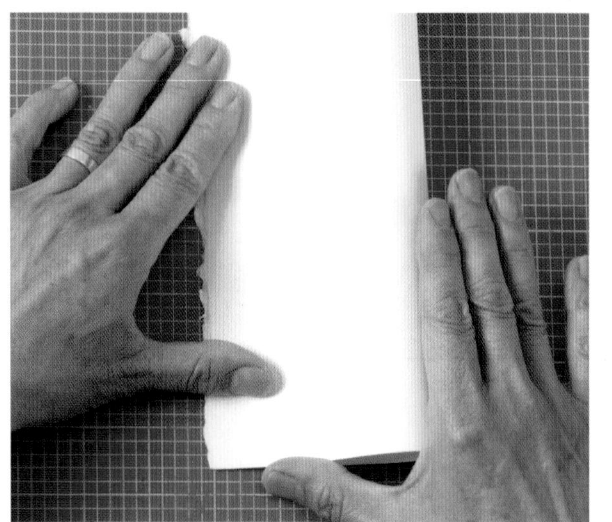

31 Doblamos el papel del todo y alineamos las barbas. Colocamos el pulgar haciendo de tope de los bordes inferiores de la tarjeta, para asegurarnos de que todos los lados quedan perfectamente superpuestos. Podemos utilizar, asimismo, la cuadrícula de la alfombrilla para guiarnos.

25 Después que terminar todas las estampaciones y escribir todos los nombres, dejamos que la pintura se seque por completo. Podemos confeccionar todas las tarjetas del mismo tamaño o variarlo un poco, de acuerdo con lo largos que sean los nombres de nuestros invitados. Dibujamos a lápiz, con una escuadra, la línea por donde haremos los cortes verticales.

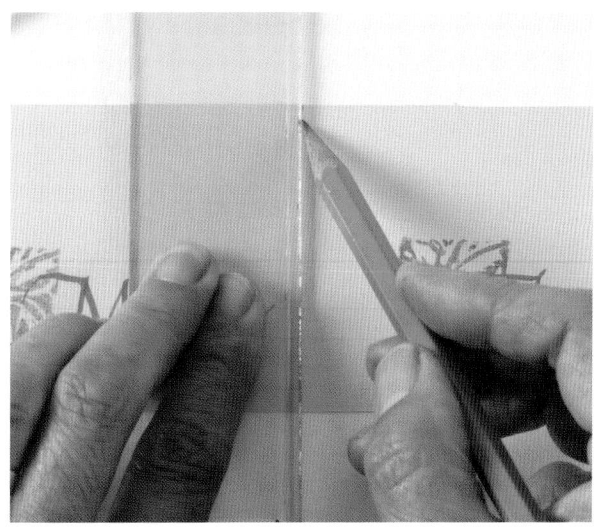

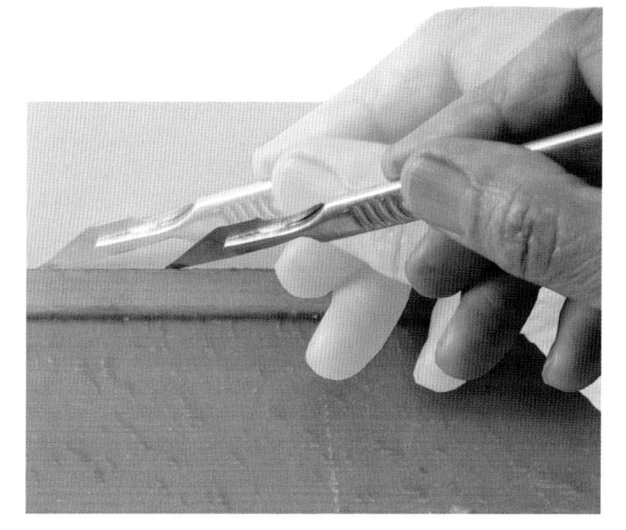

27 Para poder doblar el papel con precisión, con el fin de que se mantenga de pie, marcamos con el dorso de la lámina del escalpelo o de la cuchilla una leve línea por donde queremos doblarlo, y nos servimos de una escuadra en forma de T para trazarla. Tendremos cuidado para no cortar el papel.

26 Empleando la escuadra, cortamos el papel grueso con el escalpelo o el cúter por la línea que acabamos de dibujar. Realizamos el corte siempre en dirección hacia nosotros, atentos a mantener los dedos y la mano lejos del filo de la cuchilla. Con una goma de borrar suave de vinilo, eliminamos con cuidado todas las líneas que hemos dibujado con el lápiz.

28 Cuando hayamos marcado la línea, doblamos el papel. Ponemos una hoja de papel limpio sobre el pliegue y, con un plegador de hueso, hacemos un hendido preciso y ya podemos colocar la tarjeta con el nombre sobre la mesa.

25 Situamos la tira en la que hemos practicado la caligrafía arriba de las líneas de pauta. Rellenamos la pluma con una acuarela bastante diluida, en este caso de color púrpura, y nos cercioramos de que la pluma funciona bien probándola en un trozo de papel a parte. Luego copiamos las letras de la tira de prueba directamente en la tarjeta.

27 Unimos la lágrima de la letra "g" con la letra "s", de modo que todas las letras queden ligadas unas a otras.

28 Procuramos mantener un ritmo suave al escribir la frase, hasta el final de la línea.

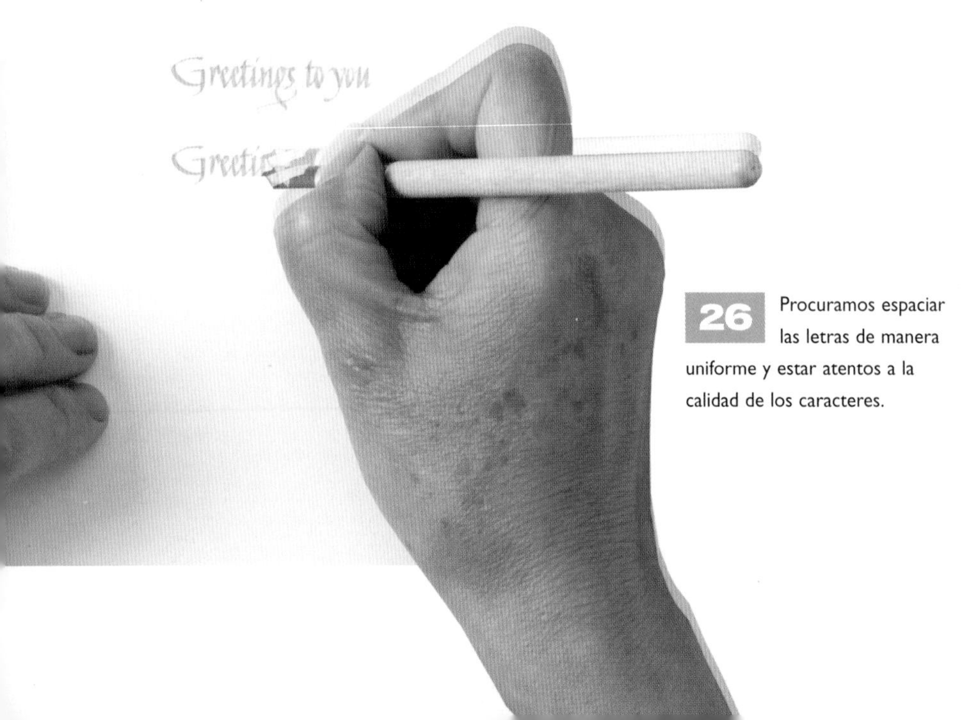

26 Procuramos espaciar las letras de manera uniforme y estar atentos a la calidad de los caracteres.

1 Este proyecto consta de tres partes: un soporte exterior para la carta o menú, una hoja doblada en su interior y la tarjeta con la carta. En primer lugar, vamos a confeccionar el soporte de la carta. Tomamos un trozo del papel de gramaje medio, que sea el doble de ancho que de alto. En el ejemplo de la derecha, el papel mide 15 cm x 7,5 cm. Señalamos la línea central con el borde derecho de la regla. Doblamos la mitad derecha de la cartulina en dirección a esa línea.

3 Para conseguir un pliegue bien marcado en el papel, utilizamos el plegador de hueso por su extremo redondeado. Para evitar que éste "pula y aplane" la superficie de la cartulina, colocamos un trozo de papel entre el plegador y la cartulina. Empleamos la regla para hacer otro pliegue en la mitad izquierda del papel. Con eso, completamos el exterior del soporte de la carta.

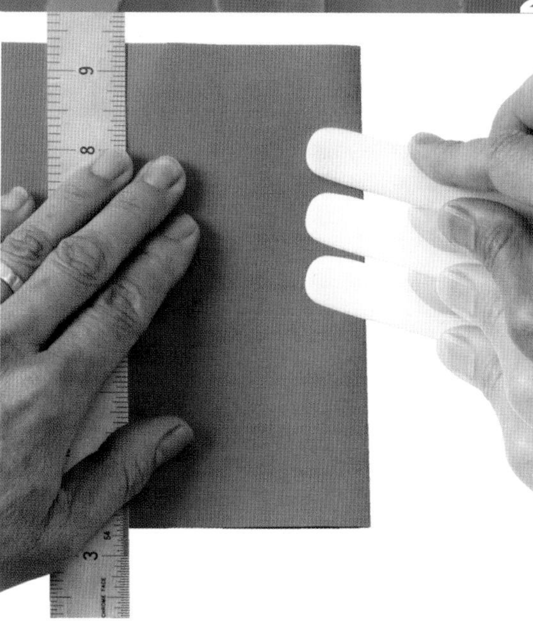

2 Hacemos un pliegue con los dedos, empezando a presionar ligeramente el papel por el dentro del doblez y desplazando los dedos hacia abajo. Luego regresamos al centro y presionamos, también con suavidad, en dirección al borde superior.

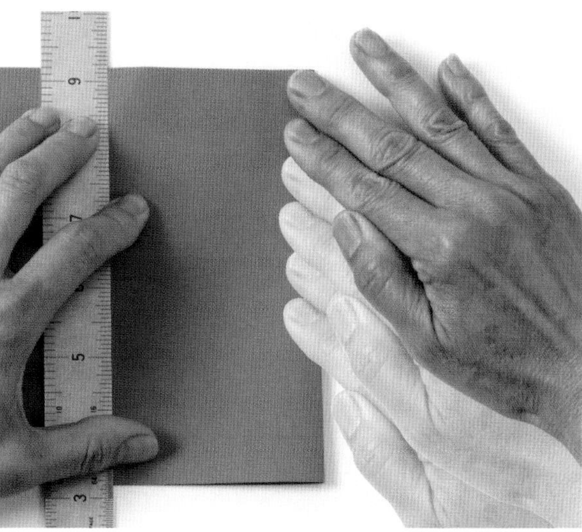

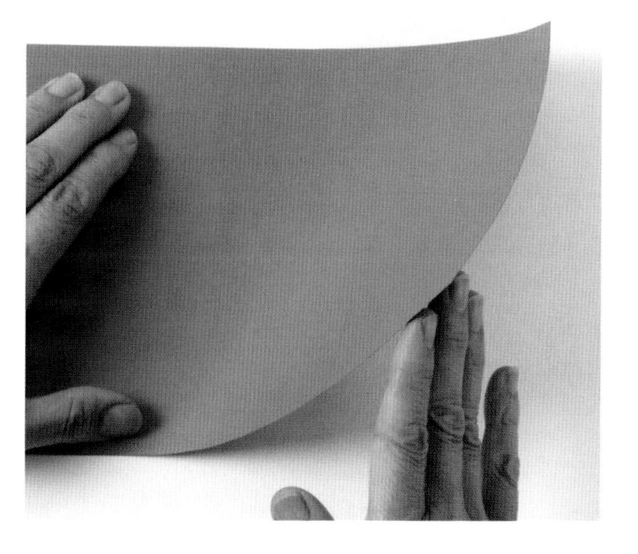

4 La segunda tarea consiste en confeccionar la hoja que va en el interior del soporte, que pegaremos a la exterior. Cortamos un segundo pedazo de cartulina de unos 3 mm menos que el primero, tanto de ancho como de largo. Con el lápiz, dibujamos con suavidad una línea vertical central. Tomamos la esquina inferior derecha del papel y la doblamos en diagonal hacia arriba, en dirección a la línea central.

21 Para confeccionar el mensaje del interior de la tarjeta, practicamos primero nuestra felicitación en un papel suelto y probamos diferentes estilos caligráficos. Aquí hemos escrito la expresión "Greetings to you" (felicidades, en inglés), y hemos empleado astas descendentes largas y cortas, alternadamente. Esa es una buena manera de practicar diferentes estilos y trazos.

23 Una vez que hayamos seleccionado la posición deseada para la tira caligráfica, la marcamos levemente en la tarjeta con una raya a lápiz muy tenue. Marcamos la parte superior, inferior y el centro de la línea de escritura.

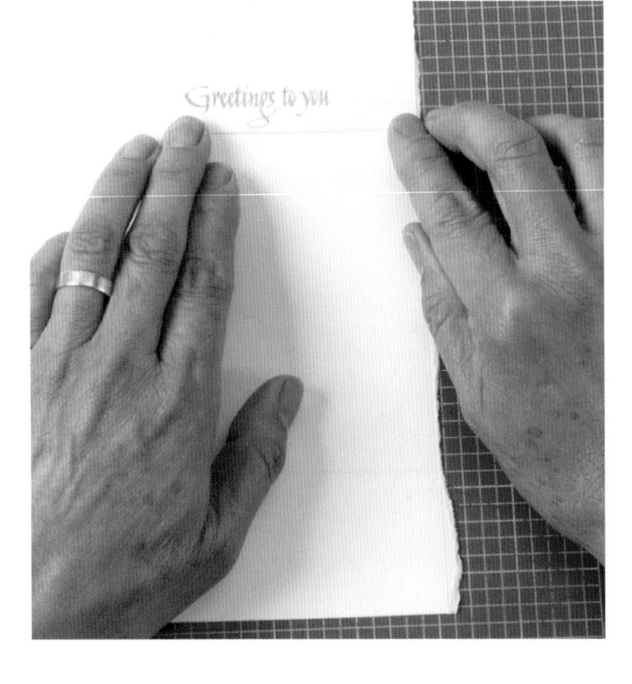

22 Elegimos el estilo caligráfico que más nos agrade y lo recortamos en forma de una pequeña tira de papel. La ponemos en distintas posiciones en el interior de la tarjeta hasta encontrar la que nos resulte más atractiva: centrada, en lo alto, abajo del todo, etc.

24 Ahora situamos la escuadra en forma de T sobre las rayas superior e inferior y las extendemos para que formen dos líneas paralelas (las líneas de pauta) que definan la altura de los caracteres.

5 Cuidaremos que la esquina alcance el extremo superior de la línea central y que los dos bordes de la cartulina coincidan por la parte de arriba. Doblamos el papel, partiendo del centro del pliegue en dirección a la esquina inferior, y desde el centro en dirección a la esquina superior.

6 Abrimos la cartulina doblada. El siguiente pliegue lo realizaremos en dirección opuesta.

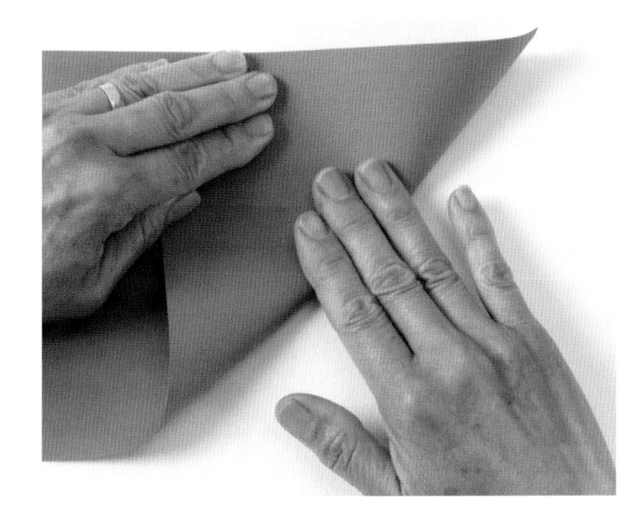

7 Tomamos la esquina superior derecha de la cartulina y la doblamos hacia abajo, en dirección a la línea central. Empleamos los dedos para conseguir que el pliegue sea preciso. Ahora tenemos dos pliegues cruzados en diagonal.

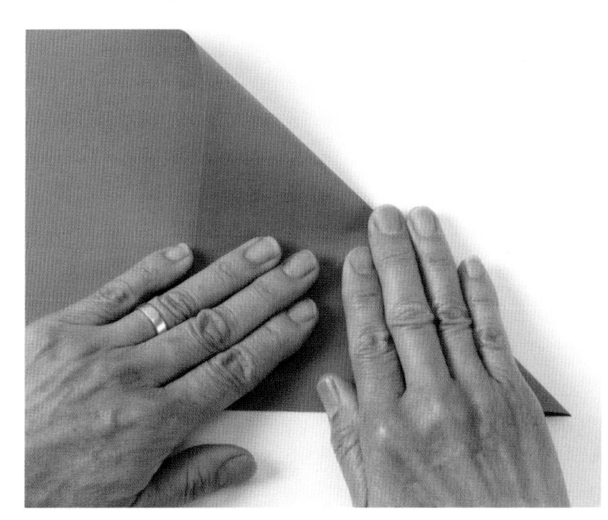

8 Damos la vuelta a la cartulina. Trazamos la línea central de esa mitad, del mismo modo en que lo hicimos antes. Luego tomamos el borde derecho del papel, lo llevamos hasta la línea central del papel y marcamos el pliegue, de modo que cruzará, en vertical, el punto de intersección de las diagonales. Damos la vuelta otra vez al papel y repetimos con la otra mitad los pasos 4-8.

17 Con mucho cuidado, situamos el dibujo con las capas de caligrafía en el centro del papel de color. Trabajamos sobre la alfombrilla de cortar porque sus cuadrículas nos ayudarán a alinear bien nuestro trabajo.

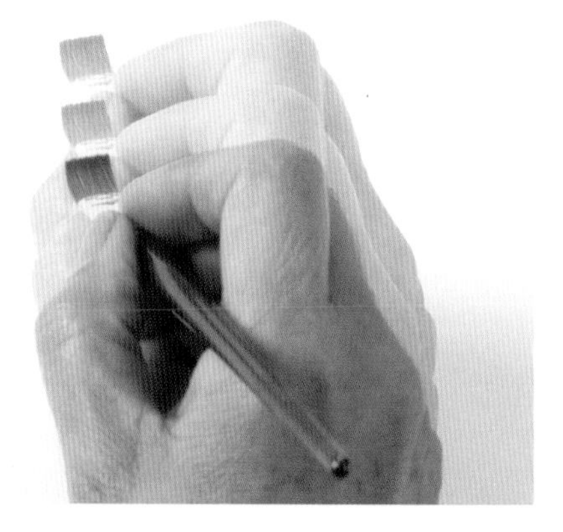

19 Dibujamos con el lápiz una pequeña flecha sobre el papel, para que nos indique la dirección de la fibra, y después marcamos el tamaño y la forma que deseamos para nuestra tarjeta. Aplicamos entonces un pincel empapado en agua limpia a lo largo de la raya a lápiz que marca los bordes de la tarjeta. Esperamos unos minutos para que el papel absorba el líquido.

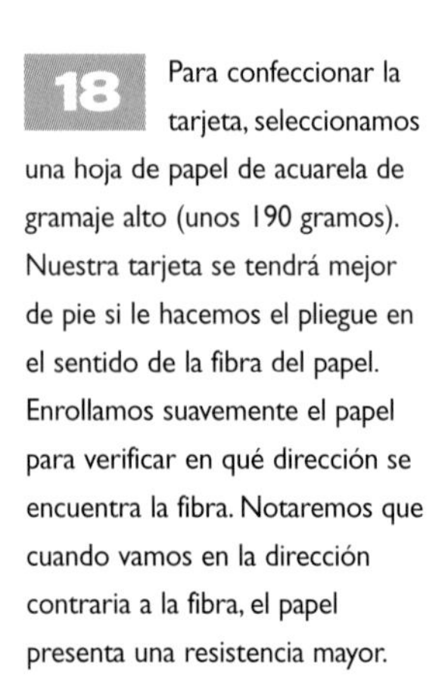

18 Para confeccionar la tarjeta, seleccionamos una hoja de papel de acuarela de gramaje alto (unos 190 gramos). Nuestra tarjeta se tendrá mejor de pie si le hacemos el pliegue en el sentido de la fibra del papel. Enrollamos suavemente el papel para verificar en qué dirección se encuentra la fibra. Notaremos que cuando vamos en la dirección contraria a la fibra, el papel presenta una resistencia mayor.

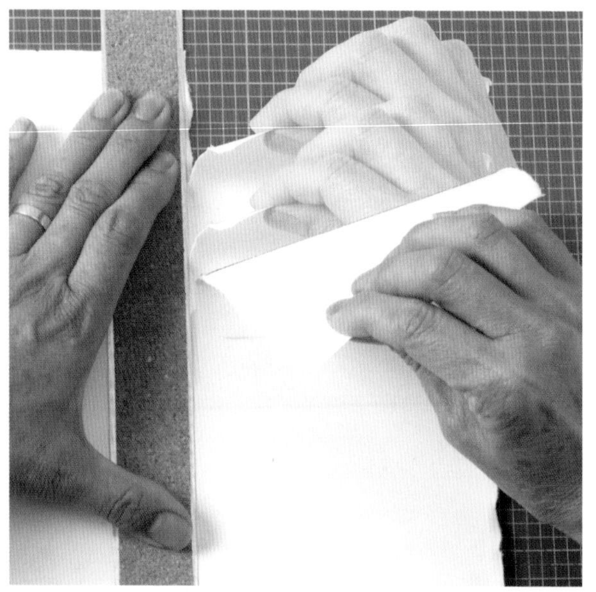

20 Colocamos la regla a lo largo de la raya que hemos dibujado a lápiz a la derecha y empezamos a rasgar la tarjeta, en vez de cortarla. Presionamos la regla con la mano para que se mantenga en su sitio, movemos el papel ligeramente hacia la derecha y lo rasgamos un poco, luego lo abrimos ligeramente hacia la izquierda y lo rasgamos un poco más, y seguimos así hasta obtener un borde rasgado o con barbas. Repetimos el procedimiento de humedecer el papel y rasgarlo sobre la marca a lápiz de la izquierda.

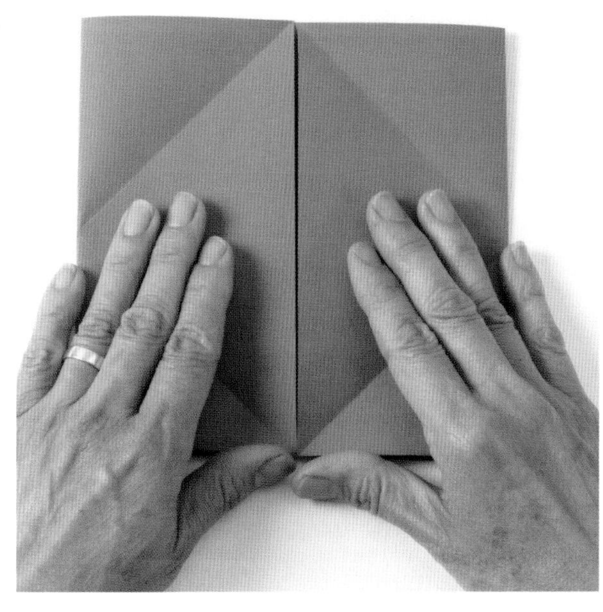

9 La hoja doblada debería parecerse a la foto que mostramos a la izquierda, con los bordes plegados hacia dentro, coincidiendo en la línea central, y las dobleces en diagonal formando otro cuadrado en el centro.

11 Damos la vuelta a la hoja doblada. Empleando los dedos, la volvemos a doblar con suavidad y aplanamos el papel para que forme un cuadrado, que quedará vertical.

10 Abrimos la hoja doblada. Situamos los dedos debajo del papel, donde las diagonales se entrecruzan, y ejercemos presión. El papel doblado adquirirá entonces tres dimensiones.

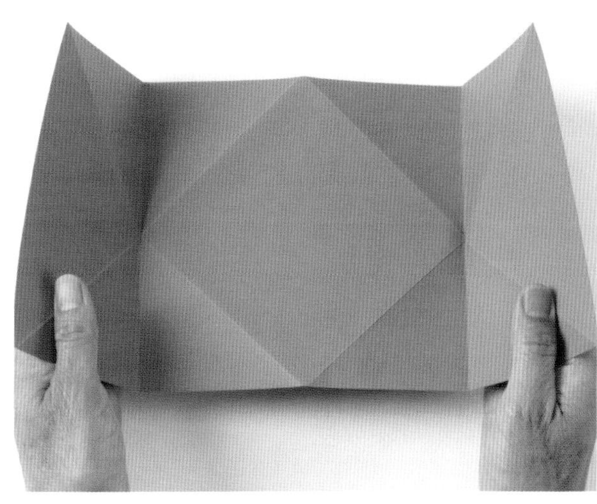

12 Abrimos una vez más la hoja con los pliegos. Medimos con una regla un lado del diamante central. Deberá tener 10,6 cm. Apuntamos esa medida. La tarjeta de la carta, sobre la que escribiremos en caligrafía, se colocará sobre esa forma de diamante. La carta necesita ser un poco más pequeña que la hoja interna doblada, con 10,5 cm de lado.

13 Pegamos el cuadrado con las caligrafías azules en el centro de uno de los cuadrados oscuros con una fina capa de pegamento en barra o cola blanca de carpintero. Lo ponemos sobre la esterilla cuadriculada para cortar y verificamos que está bien centrado.

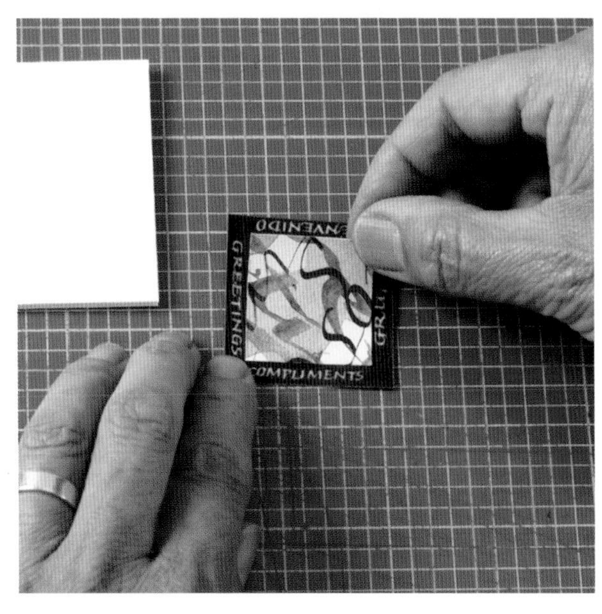

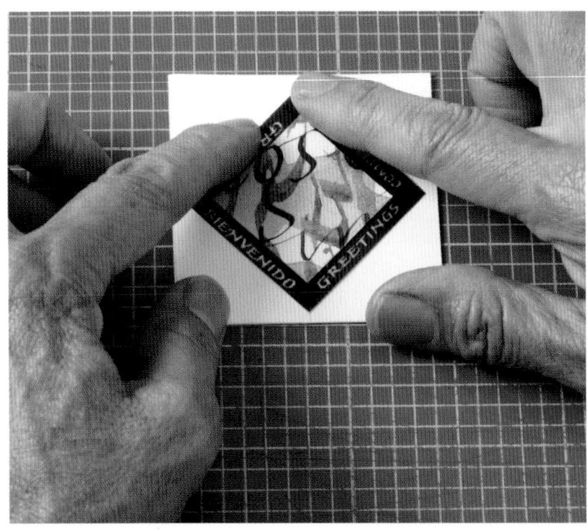

14 Para confeccionar la tarjeta para el regalo, doblamos un trozo de papel de gramaje alto, blanco, por la mitad. La tapa delantera ha de ser un poquito mayor que el motivo de colores que ya hemos creado. Colocamos el cuadrado en posición de diamante, como se aprecia en la fotografía.

15 Para elaborar la tarjeta de felicitación, reunimos en primer lugar el material que vamos a necesitar. Usaremos un cuadrado del papel con las letras azules sobrante; el segundo cuadrado de fondo de color oscuro; una regla; un escalpelo o cúter, y papel blanco de gramaje alto.

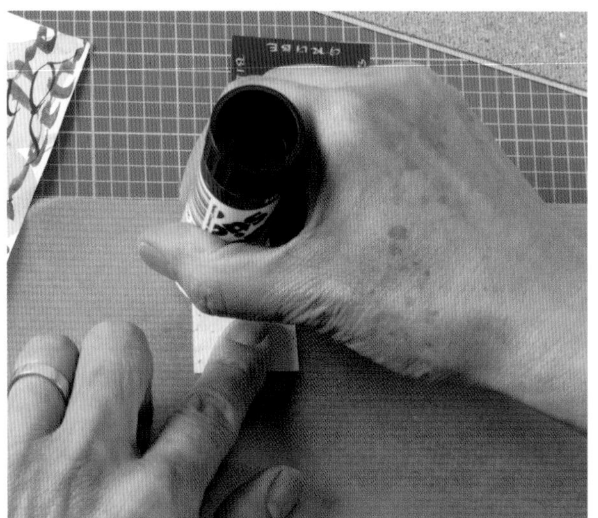

16 Ponemos el cuadrado con las capas de caligrafía boca abajo sobre un trozo de papel *kraft*. Le aplicamos una capa delgada y uniforme de pegamento en barra o cola de carpintero y nos aseguramos que los bordes del papel queden bien impregnados.

13 Aplastamos otra vez la hoja interior doblada, que formará un cuadrado, y le damos la vuelta para que la parte delantera quede hacia arriba (el lado que no tiene aberturas estará ahora cara arriba). Extendemos sobre la cartulina una capa fina de pegamento de barra (o de cola blanca de carpintero).

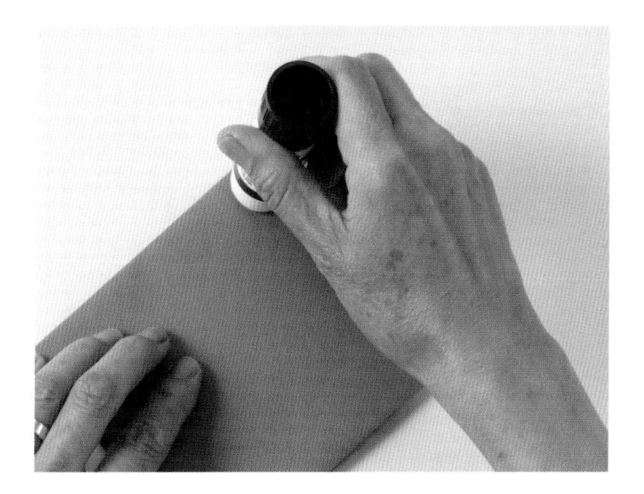

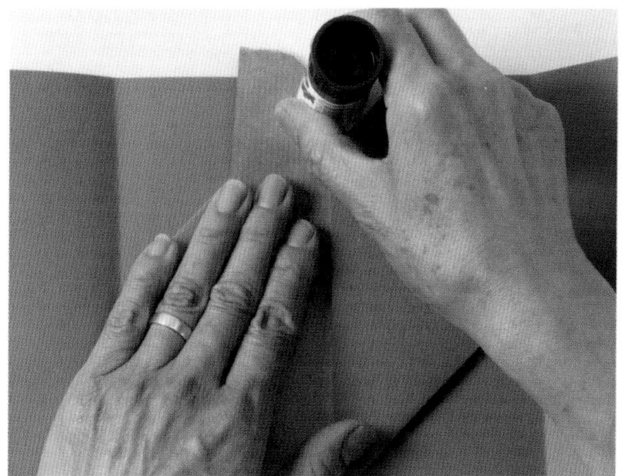

15 A continuación, extendemos algo de cola blanca de carpintero o de pegamento de barra sobre el borde central del triángulo derecho del diamante. Antes, colocamos un trozo de papel sobre el bolsillo izquierdo, para evitar mancharlo de pegamento.

14 Abrimos el soporte exterior de la carta que hemos confeccionado en los pasos 1-3. Situamos la hoja interior doblada a lo largo de la línea central del soporte. Tendremos que aseguramos de que los extremos superior e inferior del diamante están alineados con el eje central que trazamos sobre el soporte exterior de la carta. Presionamos la hoja con firmeza.

16 Introducimos la mano izquierda en el bolsillo derecho del diamante y hademos bajar la solapa derecha del soporte exterior de la carta. Debemos cerciorarnos de que el borde central del diamante está bien alineado con el borde del soporte exterior de la carta.

9 Continuamos escribiendo más palabras hasta que toda la página esté cubierta de caligrafía. Dejamos entonces que la pintura se seque y ya habremos completado el papel de regalo.

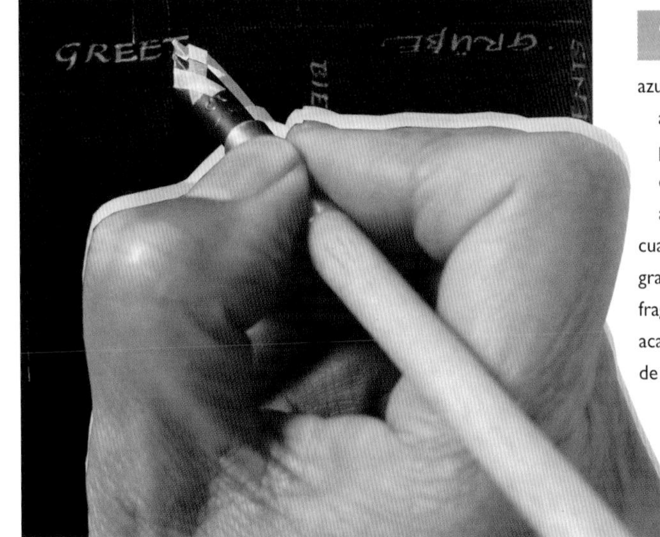

11 Después tomamos un pedazo del papel azul de gramaje alto y dibujamos a lápiz sobre él algunas pautas para escribir formando dos cuadrados. Debemos asegurarnos que estos cuadrados son lo bastante grandes cómo para que fragmento de caligrafía que acabamos de recortar del papel de regalo encaje en el centro.

10 Para hacer la tarjeta para el regalo, aislamos un pequeño cuadrado de unos 2,5 cm de lado cerca del borde del papel de envolver. Para localizar una zona adecuada, podemos ayudarnos de un marco móvil formado con dos "L" negras. Seleccionada la muestra que nos agrade, la marcamos con el lápiz y la recortamos cuidadosamente con el cúter, cuidando de mantener los dedos alejados de la lámina. Recortamos el borde de la hoja para que vuelva a ser recto, y guardamos este papel sobrante.

12 Escribimos con un poco de guache perla dorado la palabra "Felicidades" en varios idiomas alrededor de los dos cuadrados. Debemos remover el guache perla dorado muy a menudo con el pincel, pues el oro tiende a asentarse en el *godet*. Dejamos secar la pintura y recortamos las tarjetas.

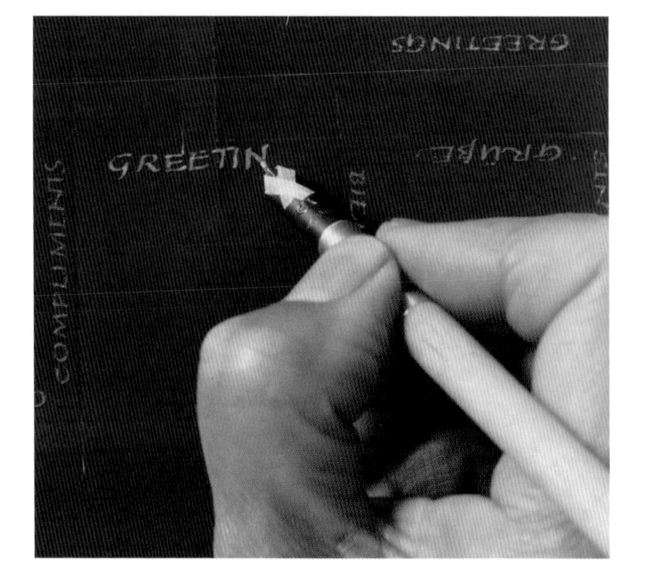

17 Extendemos el pegamento ahora sobre el lado izquierdo y después cerramos la solapa izquierda del soporte. Eso completa la unión de la pieza exterior con la hoja doblada interior.

18 A continuación, hacemos la tarjeta de la carta. Tomamos una hoja de papel de color (aquí se ha usado una amarilla) y un poco de guache verde (para que haga juego con el soporte exterior de la carta) con el que escribir la caligrafía. Empleamos una escuadra en forma de T y un cartabón para determinar las dimensiones de la tarjeta del menú. Comenzamos trazando con la escuadra una línea larga horizontal a lo largo del papel.

19 Después dibujamos una línea vertical de 10,5 cm de longitud empleando el cartabón o la escuadra. A continuación desplazamos el cartabón 10,5 cm a lo largo de la línea horizontal y trazamos otra línea vertical de esa misma altura. Repetimos el proceso y dibujamos al menos dos cuadrados. Con la cuchilla o el escalpelo, los recortamos con cuidado, atentos a no acercar los dedos a la lámina.

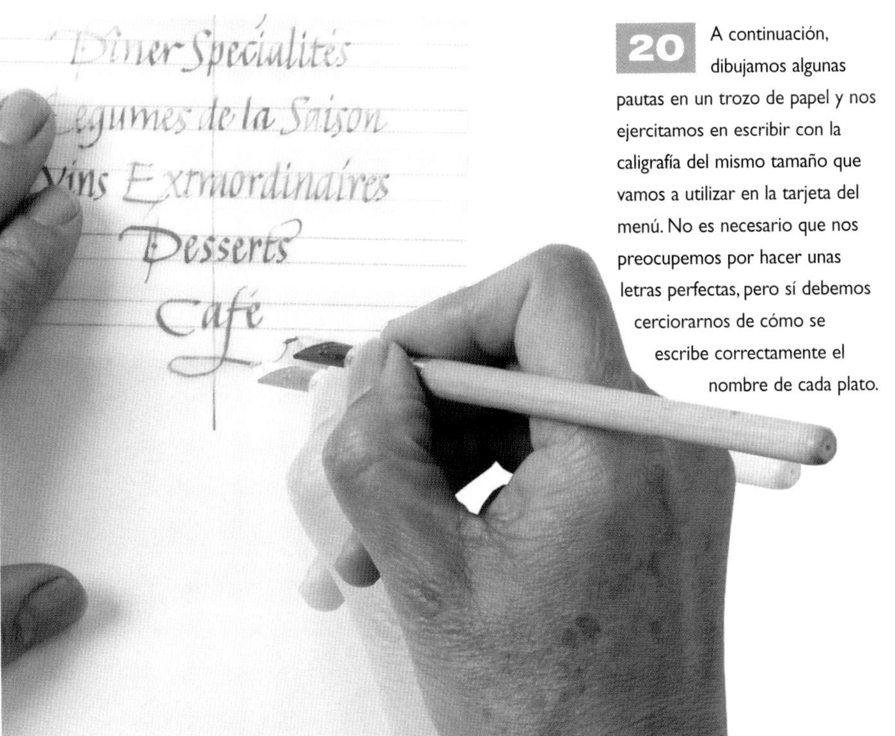

20 A continuación, dibujamos algunas pautas en un trozo de papel y nos ejercitamos en escribir con la caligrafía del mismo tamaño que vamos a utilizar en la tarjeta del menú. No es necesario que nos preocupemos por hacer unas letras perfectas, pero sí debemos cerciorarnos de cómo se escribe correctamente el nombre de cada plato.

5 La imagen general está empezando a formarse. La primera capa consiste en una caligrafía de letras claras y gruesas. La segunda es un poco más oscura, pero todavía con letras grandes, mientras que esta tercera capa es la más oscura y está escrita con una pluma pequeña.

7 Observe que la lágrima de la letra "p" toca la curva de la letra "S", y de ese modo une limpiamente las dos líneas separadas de escritura.

6 Para escribir el trazo de la letra mayúscula "S", comenzamos por arriba y llevamos la pluma hacia abajo en un solo movimiento, empezando por una curva, pasando luego a trazar una línea recta para escribir la parte media de la letra y terminar con otra curva.

8 Procuraremos no agarrar la pluma con demasiada fuerza al escribir. También es importante que mantengamos limpia la plumilla mientras trabajamos, lo que podemos conseguir con la ayuda de un paño húmedo y suave.

21 Colocamos la hoja con el borrador boca abajo y al revés. Doblamos el borde inferior hacia arriba para que quede a la vista la primera línea del borrador. La colocamos encima de la primera línea de la tarjeta de la carta y copiamos lo escrito. Ese método es muy útil para escribir con precisión y para centrar una línea caligráfica. Rellenamos la pluma, verificamos que la pintura fluya bien y empezamos a escribir.

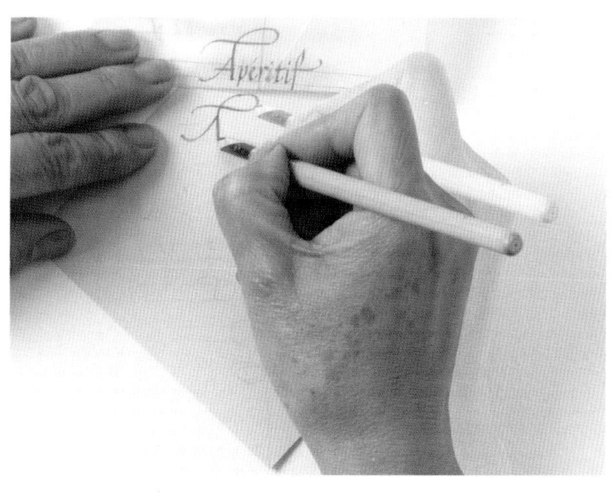

22 A medida que trazamos las líneas, vamos doblando hacia atrás la hoja con el borrador, siempre por encima de lo que estamos apuntando. Hemos de comprobar que la pintura se ha secado antes de colocar la hoja del borrador doblada encima de la tarjeta de la carta. Escribimos cada línea tratando de lograr un ritmo fluido.

23 Observamos la relación entre la forma de los caracteres: la letra "a" y la "g", al igual que las letras "d", "b" y "p", poseen grafías parecidas. Si necesitamos volver a rellenar la pluma, debemos estar atentos para no añadir demasiada pintura, pues eso originaría letras más oscuras que las que hemos escrito antes.

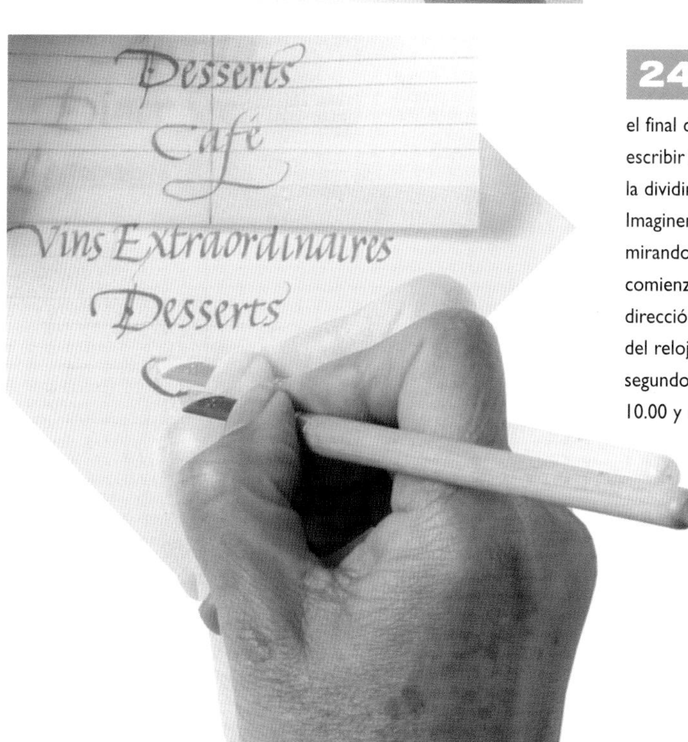

24 Mantenemos el flujo de la escritura hasta el final de la última palabra. Para escribir la letra "C", de "Café", la dividimos en dos trazos. Imaginemos que estamos mirando un reloj; el primer trazo comienza a las 10.00 y sigue en dirección contraria a las agujas del reloj hasta las 5.00. El segundo empieza también a las 10.00 y continúa en la dirección de las agujas del reloj hasta las 2.00.

1 Con acuarela de color azul muy diluida, escribimos varias veces sobre un papel de bajo gramaje la palabra "Felicidades" por toda la página, empleando una pluma grande de 2,5 cm de punta o su equivalente. Hemos de notar que cada línea de escritura toca la de arriba, de modo que las letras forman un entramado espeso. Después dejamos que la aguada se seque.

2 Giramos el papel 90°. Volvemos a escribir "Felicidades", pero empleamos ahora una pluma de 12,5 mm o su equivalente y una acuarela de un azul ligeramente más oscuro. Podemos escribir en cualquier estilo caligráfico que deseemos y no importa que las letras se toquen entre ellas.

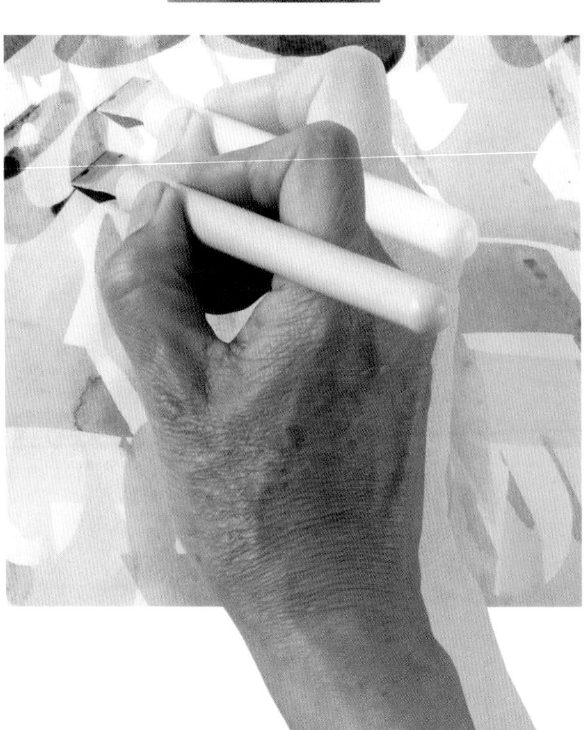

3 Toda la masa de escritura se compone de una única palabra repetida. Cuando llegamos al final de una línea, interrumpimos la palabra por donde sea necesario y la continuamos en la siguiente línea. Esperamos a que la aguada se seque.

4 Con una pluma mediana, como la Speedball C.3, o una de 2 mm o su equivalente, escribimos en diagonal la palabra "Felicidades" en varios idiomas distintos, con un tono de azul todavía más oscuro. Si nos hace falta, dibujamos algunas líneas ligeras a lápiz para ayudarnos a mantener recta nuestra caligrafía.

25 Para escribir la letra "f" empezamos por arriba, pero, en lugar de llevar la pluma hacia la izquierda, donde el papel seco presentará resistencia al desplazamiento de la plumilla, dibujamos en primer lugar el trazo hacia la derecha. Con eso creamos un segmento húmedo de pintura sobre el que la pluma podrá deslizarse con facilidad cuando la dirijamos otra vez hacia la izquierda. Podemos emplear esa misma técnica en todos los caracteres con trazos hacia la izquierda.

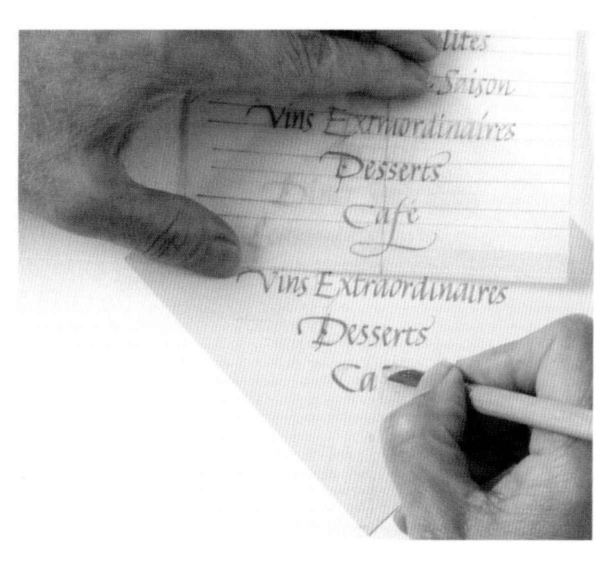

27 Con la cola blanca de carpintero, adherimos un triángulo en la hoja doblada interior, en el espacio triangular derecho. Nos aseguramos de que los bordes estén bien alineados. Luego repetimos la operación en el lado izquierdo.

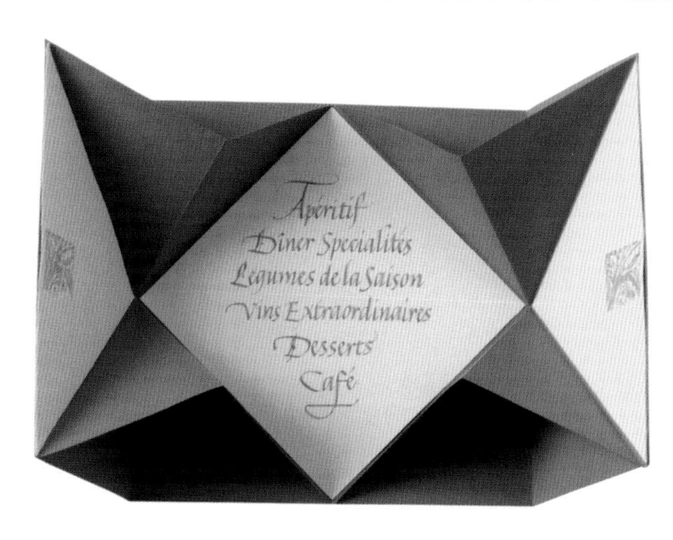

26 Ahora la tarjeta amarilla de la carta ya está lista para que la peguemos en la hoja verde doblada en el interior del soporte. Colocamos boca abajo la carta sobre un pedazo de papel suelto. Aplicamos una capa delgada de cola blanca y la ponemos sobre la hoja interior doblada, con mucho esmero en colocarla correctamente. Para decorarla más, tomamos un cuadrado y lo cortamos por la mitad para confeccionar dos triángulos. Estampamos en ellos el sello de goma que ya utilizamos en el proyecto anterior de tarjetas para la mesa.

28 Para mantener la carta cerrada, dibujamos un pequeño rectángulo en una hoja del papel amarillo. Le estampamos el grabado del sello de goma y escribimos debajo la palabra "Menú". Recortamos el rectángulo y lo pegamos al soporte exterior de la carta con un trozo de cinta adhesiva de doble cara. De ese modo, la carta se podrá abrir y cerrar.

Proyecto 6: **papel de regalo, etiquetas y tarjetas de felicitación**

Materiales

alfombrilla sobre la que cortar
distintas plumas caligráficas: plumilla de 2,5 cm o su equivalente, Speedball C.3 o 2 mm o su equivalente, plumilla de 12,5 mm o su equivalente
escalpelo o cuchilla
escuadra en forma de T
guache color perla dorada
lápiz
paño o trapo
papel (trozos para pruebas)
papel blanco de bajo gramaje y papeles azul y blanco de gramaje alto
pegamento en barra o cola blanca de carpintero
pincel
pintura a la acuarela de color azul y púrpura
plantilla en L
plegador de hueso
regla

Proyecto 2: **invitación**

Materiales

cartabón o escuadra triangular
cola blanca de carpintero o pegamento en barra
cúter o escalpelo
escuadra en forma de T
goma de borrar de crepé o cinta para retirar la goma líquida
goma líquida de enmascarar
hojas de papel sueltas
lápiz
papel para acuarela azul y blanco de 300 gramos
pincel ancho de pelo suave
pintura azul a la acuarela de dos tonos distintos
pluma William Mitchell n.º 1 ½ o 2,5 mm o equivalente
plumas automáticas: n.º 2 (3 mm) o equivalente y n.º 9 (6 mm) o una equivalente de doble línea
regla

23 Cuando hayamos adquirido seguridad en la estampación de las hojas, las imprimiremos en el papel con la caligrafía. Prensamos la hoja con suavidad con papel secante y la retiramos con todo cuidado, para evitar correr la pintura húmeda.

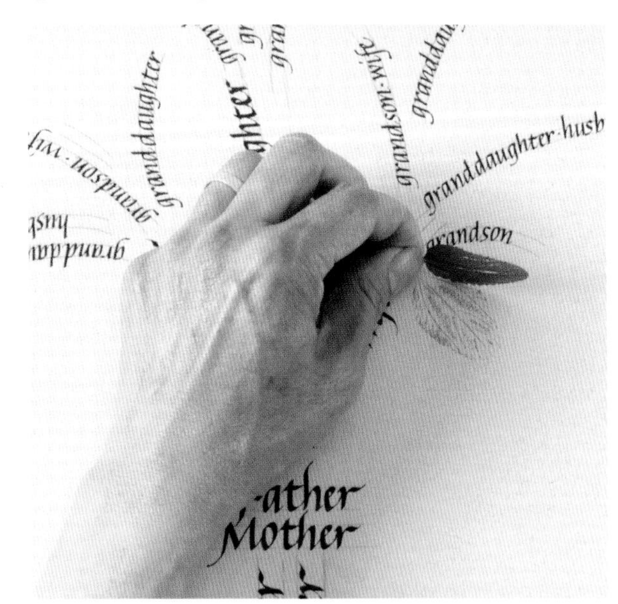

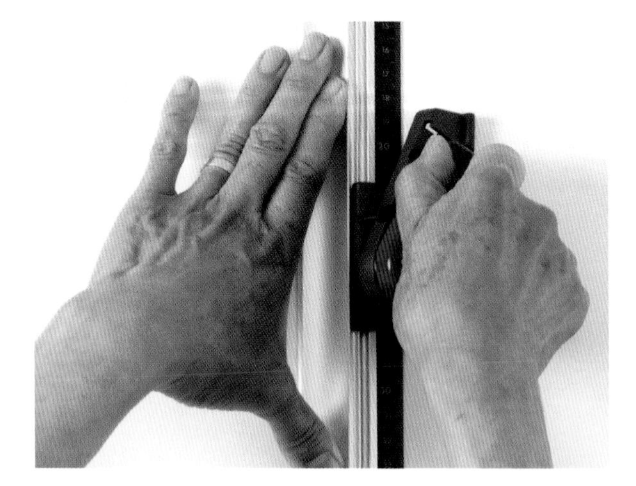

25 Colocamos una hoja de papel vegetal sobre el trabajo terminado y lo fijamos en su sitio con cinta adhesiva. Utilizamos la escuadra en forma de T y el cartabón para medir los márgenes entre el árbol genealógico y el borde del paspartú. Traspasamos las mediciones al anverso del cartón del paspartú.

24 Estampamos las hojas llenando los vacíos del diseño y creando la agradable impresión de un árbol sano. Utilizamos hojas de tamaño mediano y pequeño, poniendo esmero en variar su inclinación; la mayor parte de las hojas apuntan hacia afuera desde el centro del árbol. Una vez terminada la impresión, dejamos que la pintura se seque totalmente. Ahora nuestro trabajo caligráfico necesita un marco.

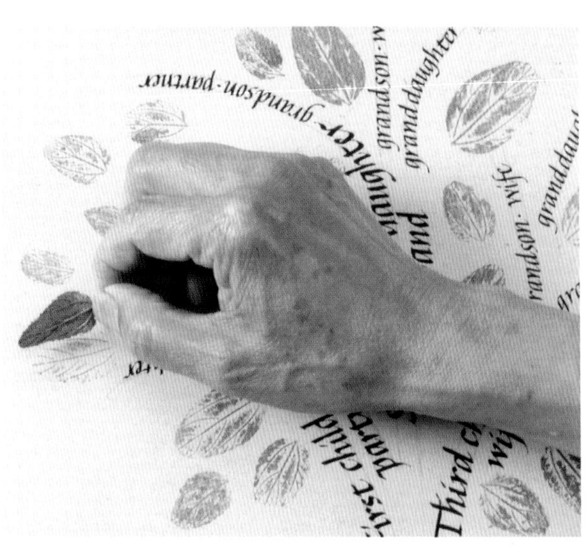

26 Situamos el paspartú cortado sobre el árbol genealógico. Lo centramos hasta que nos satisfaga su posición. Si resulta necesario, recortamos el papel. Empleamos cinta adhesiva sin ácidos por el reverso para que el papel se mantenga en su sitio en el marco. Luego podemos llevarlos a una casa de marcos para ponerle un listón de madera que complete nuestra obra.

1 Este proyecto consiste en una invitación a un 25° cumpleaños o a una celebración de aniversario. En primer lugar, experimentamos con algunas ideas, garabateando y esbozando varios esquemas. Trabajaremos con soltura, pues es el momento para buscar inspiración. Aquí hemos elegido el número "25", una tarta y unas velas, y tanto para escribir como para dibujar emplearemos la goma líquida o de reserva.

3 Después de abrir el bote de goma líquida, retiramos todos los grumos espesos que estén flotando en la superficie. Rellenamos con goma una pluma limpia y dibujamos con agilidad y rapidez, pues el fluido adquirirá la consistencia gomosa en pocos minutos. Practicaremos varias veces con nuestro dibujo. Cuando nos sintamos cómodos con nuestros trazos, pasaremos a dibujar el esbozo de la invitación.

2 Usamos la goma líquida para dibujar las velas, la tarta y el número "25". Comprobamos antes que sea lo suficientemente clara como para fluir a través de la pluma caligráfica, ya que algunas gomas que usan los acuarelistas son demasiado espesas. Para limpiar la pluma enjuagamos la goma líquida con agua y, si el líquido se ha secado, lo despegamos con cuidado.

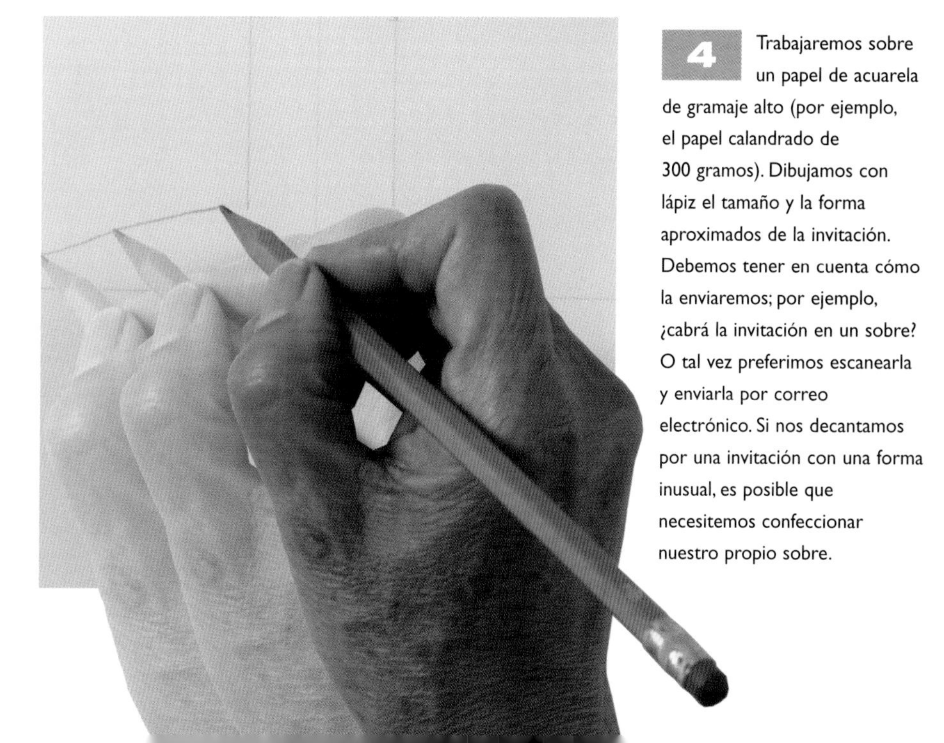

4 Trabajaremos sobre un papel de acuarela de gramaje alto (por ejemplo, el papel calandrado de 300 gramos). Dibujamos con lápiz el tamaño y la forma aproximados de la invitación. Debemos tener en cuenta cómo la enviaremos; por ejemplo, ¿cabrá la invitación en un sobre? O tal vez preferimos escanearla y enviarla por correo electrónico. Si nos decantamos por una invitación con una forma inusual, es posible que necesitemos confeccionar nuestro propio sobre.

19 Para estampar las hojas, reunimos unas cuantas de tamaño mediano y pequeño cuyas nervaduras sean bien pronunciadas. Las colocamos entre unas hojas de papel secante y las prensamos con algunos libros o algo que sirva de peso.

20 Ponemos un poco de guache de color amarillo y verde en un *godet* o un plato. Le añadimos un poco de guache metálico o polvo de oro y goma arábiga. Es necesario que la pintura quede muy espesa para que las hojas se impriman bien, por lo que es mejor no añadirle agua.

21 Colocamos una hoja boca abajo y le aplicamos la pintura con un pincel. Si rechaza la pintura, la lavamos suavemente con agua y jabón de lavar platos, la secamos y volvemos a aplicarle la pintura.

22 En un papel hacemos una prueba de impresión para comprobar que la cantidad de pintura y el color son adecuados. Muchas hojas permiten realizar dos impresiones antes de que necesiten una segunda mano de pintura.

5 Una vez que hayamos decidido las proporciones de la tarjeta, tomamos la escuadra en T y el cartabón y dibujamos las líneas que nos indicarán el tamaño real, la posición de las velas, la forma de la tarta y el número "25". Para ahorrar tiempo, haremos más de un diseño a la vez. En este ejemplo haremos tres tarjetas al mismo tiempo.

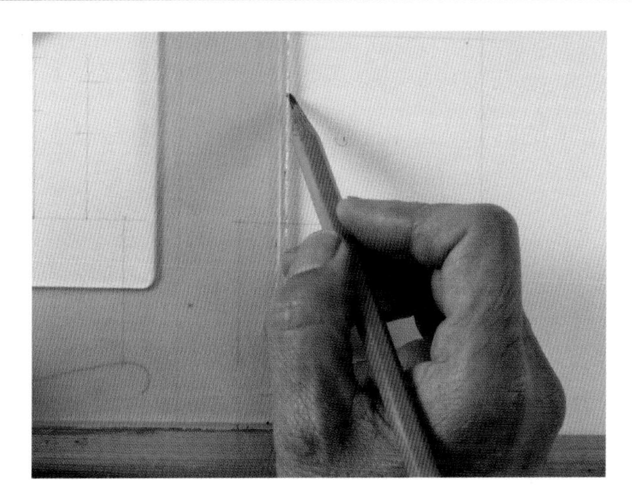

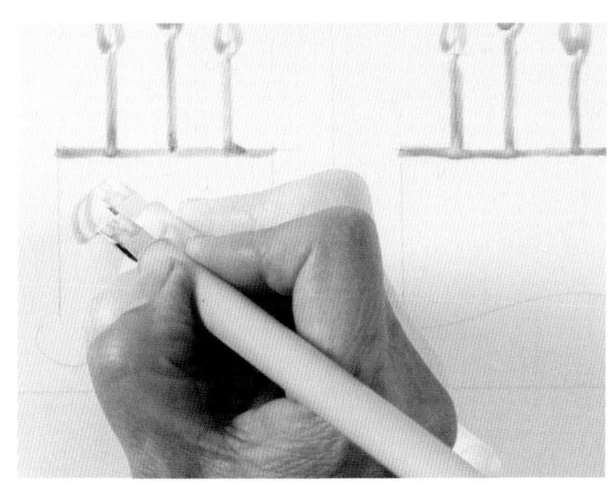

7 Para trazar los números "2" y "5", una pluma caligráfica automática de dos líneas funciona bien. Las rayas dobles hacen que las cifras resulten más vistosas. Debajo de las velas escribimos el número "2", comenzando el primer trazo a la altura de las 11.00 del reloj, y acabándolo a la 1.00.

6 Rellenamos la pluma automática del n.° 2, o su equivalente, con la máscara líquida. Comprobamos que la punta escribe bien utilizando para ello un trozo de papel, y después dibujamos las velas. Si empleamos una pluma larga, es preferible mover todo el brazo (en lugar de mover sólo la mano) al dibujar y trabajar sobre una mesa plana o con una ligera inclinación.

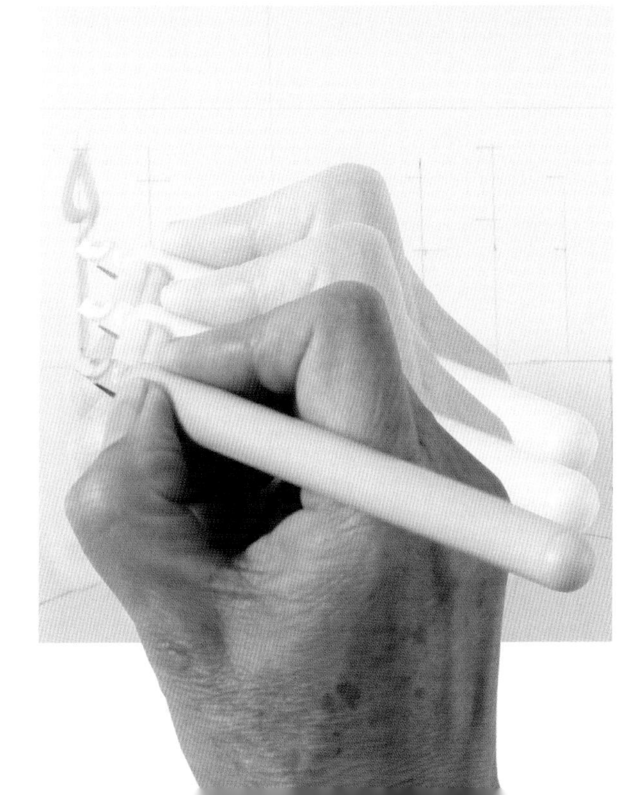

8 Empezamos el siguiente trazo exactamente donde terminamos el primero. Lo escribimos en la dirección de las agujas del reloj y lo finalizamos a la altura de las 7.00.

16 Usamos el siguiente número de pluma para escribir la generación de los nietos y sus parejas. Volvemos a colocar el papel de modo que quede en una posición cómoda delante de la mano.

17 Con independencia de lo pequeña que sea la escritura, es necesario que tomemos la pluma a un ángulo constante para obtener siempre las mismas astas verticales. Esta fotografía muestra cómo la mano se mueve para escribir el segundo trazo de la letra "g".

18 Ahora hemos completado toda la escritura. Comprobaremos siempre todo lo que hemos escrito para que no contenga ningún error. Hemos de estar atentos a que toda la caligrafía se haya secado por completo antes de borrar las líneas a lápiz con una goma de borrar suave.

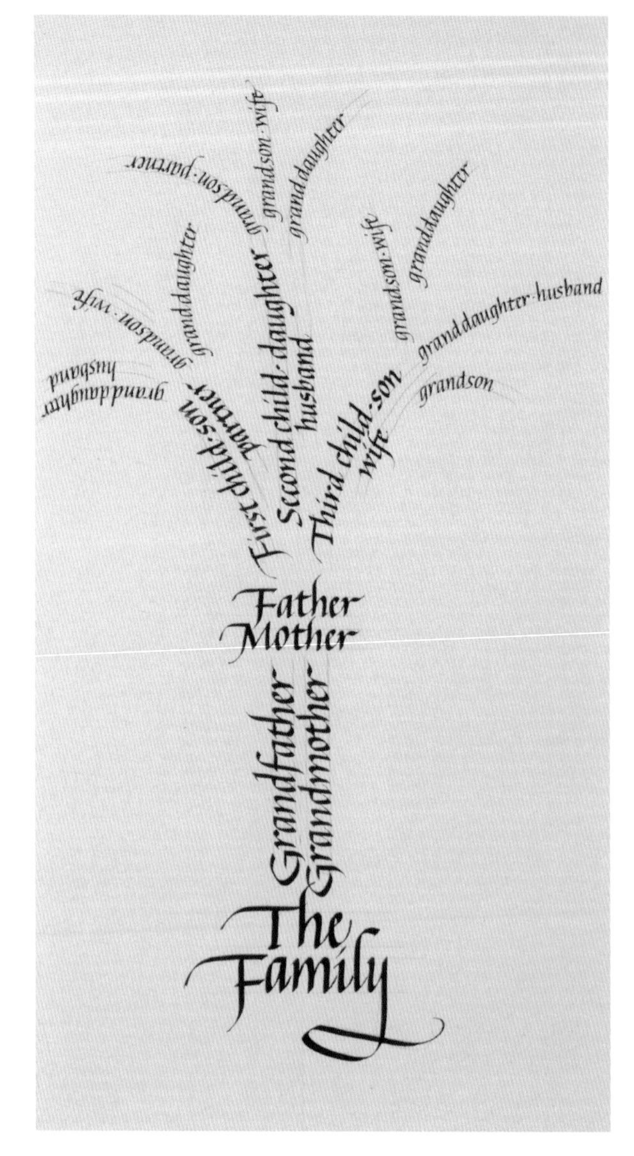

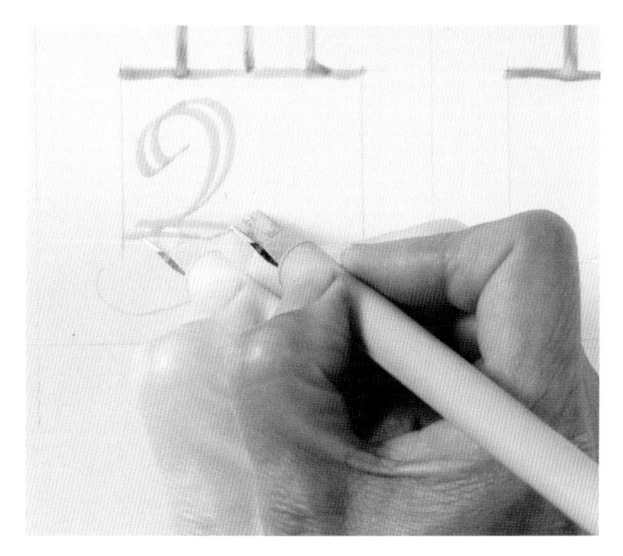

9 El asta en la base del "2" exige que desplacemos toda la mano hacia la derecha. La línea de base del número no es horizontal, sino que desciende ligeramente y termina con un remate hacia arriba.

11 Para escribir el número "5", comenzamos con el trazo descendente, luego hacemos una curva con la pluma hasta terminar el trazo inferior. Si la pluma empieza a encontrar resistencia para desplazarse con suavidad hacia la izquierda, a medida que trazamos la curva, paramos de escribir y levantamos la pluma. La colocamos en el punto final de la curva y tiramos de ella hacia atrás, hasta coincidir con el primer trazo.

10 Colocamos la pluma en posición para empezar a dibujar el número "5". Nos aseguraremos de que no esparcimos con la mano la goma líquida del número "2".

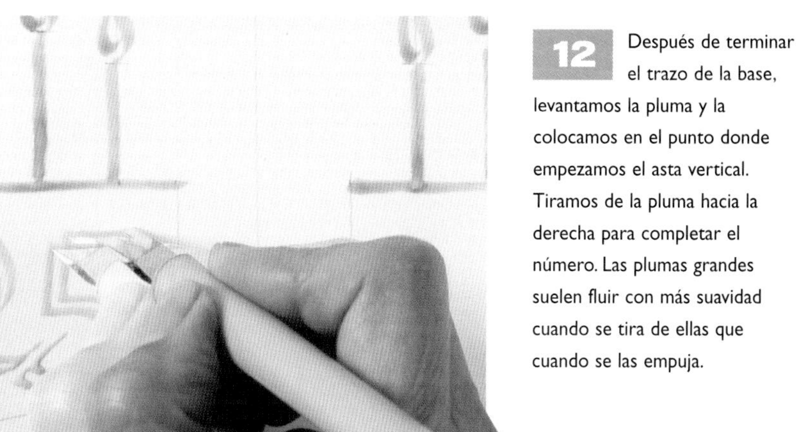

12 Después de terminar el trazo de la base, levantamos la pluma y la colocamos en el punto donde empezamos el asta vertical. Tiramos de la pluma hacia la derecha para completar el número. Las plumas grandes suelen fluir con más suavidad cuando se tira de ellas que cuando se las empuja.

12 Cuando escribimos sobre una línea curva, nos resulta difícil trazar todas las letras de manera uniforme, como lo muestra esta fotografía. Lo practicaremos aparte, ejercitándonos con la misma pluma y tinta o pintura y el mismo papel que hemos elegido para el trabajo definitivo.

14 En determinadas situaciones, cuando no existan ascendentes o descendentes, como entre la línea superior de "child - son" (hijo) y la línea inferior de "partner" (pareja), podemos disminuir el espacio entre las dos líneas.

13 Nos cercioramos de que estamos empleando el tamaño correcto de pluma caligráfica. Al escribir las letras más pequeñas, garantizaremos que todas las líneas nos salgan muy estrechas y nítidas si aliviamos la presión sobre la pluma al final de las letras para dibujar una raya fina de remate.

15 Las astas ascendentes de la palabra "husband" (marido) se han escrito de manera que queden más cortas para que puedan acercarse las dos líneas. Aquí podemos observar el trazo del remate vertical de la letra "d".

13 Pasamos a escribir el número "25" en los otros dos diseños. Procuramos mantener uniforme la aplicación de la goma líquida al dibujar. No tenemos por qué preocuparnos si la caligrafía varía de un diseño a otro. Eso es lo que hace único nuestro trabajo.

14 Después dibujamos con la pluma automática n.° 2 o su equivalente las líneas verticales que conforman los lados de la tarta. Si dibujamos las líneas verticales después de haber escrito los números, nos resultará más fácil centrarlos en la tarta; podremos ser más flexibles respecto a dónde situar las líneas. Observemos que el asta superior horizontal del número "5" se alarga hasta alcanzar la línea, con lo que nos ayuda a dar un mayor sentido de unidad al diseño. Asimismo, la línea de base del n.° "2" también se alarga.

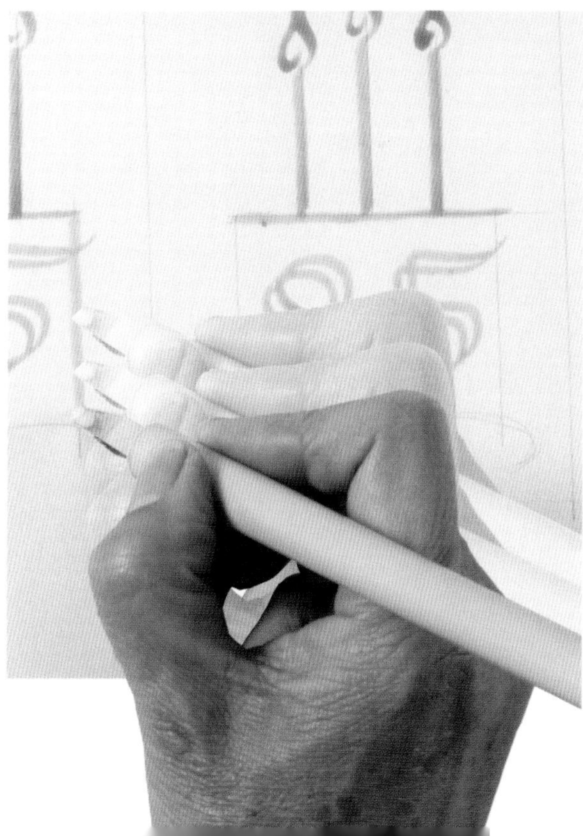

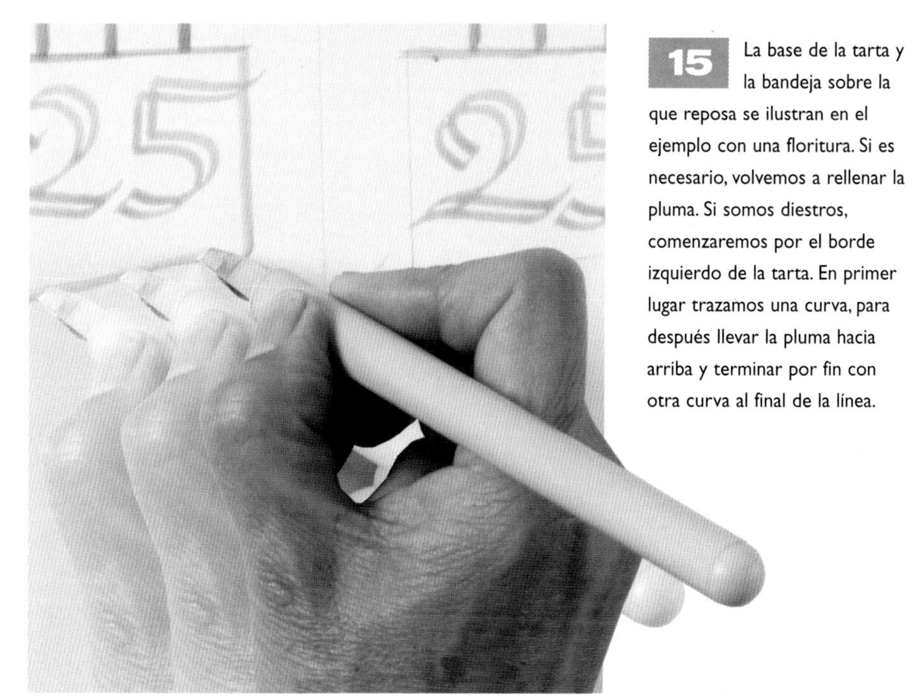

15 La base de la tarta y la bandeja sobre la que reposa se ilustran en el ejemplo con una floritura. Si es necesario, volvemos a rellenar la pluma. Si somos diestros, comenzaremos por el borde izquierdo de la tarta. En primer lugar trazamos una curva, para después llevar la pluma hacia arriba y terminar por fin con otra curva al final de la línea.

16 Mezclamos algunas acuarelas para hacer dos aguadas. Probamos los colores obtenidos para asegurarnos que uno tiene un tono algo más oscuro que el otro. Aquí se han empleado dos tonos de azul.

8 Antes de escribir en el papel que hemos escogido, realizaremos algunas prácticas de caligrafía usando las mismas plumas y tintas o pinturas en un trozo del mismo tipo de papel que utilizaremos en el trabajo definitivo. Cuando nos sintamos preparados, empezamos a escribir.

10 Volvemos a poner el papel derecho. Con la siguiente pluma, de tamaño menor, escribimos "Father" (Padre) y "Mother" (Madre).

11 Aquí, hemos alargado el asta superior de la letra "r" para que acabe con una floritura, lo que se consigue únicamente moviendo la mano hacia la derecha.

9 Después de escribir "The Family" (La familia), cambiamos a la plumilla siguiente, más pequeña, y giramos el papel 90° para escribir "Grandfather" (Abuelo) y "Grandmother" (Abuela), las palabras que forman el tronco del árbol genealógico. Aquí podemos ver el ápice que remata la letra "G". Observe que el número de la plumilla está apuntado en el mango de la pluma.

17 Cuando la goma líquida esté totalmente seca, impregnaremos un pincel ancho de pelo suave con la aguada más oscura y, comenzando por arriba, pasaremos el pincel con suavidad hacia abajo hasta sobrepasar el borde del diseño.

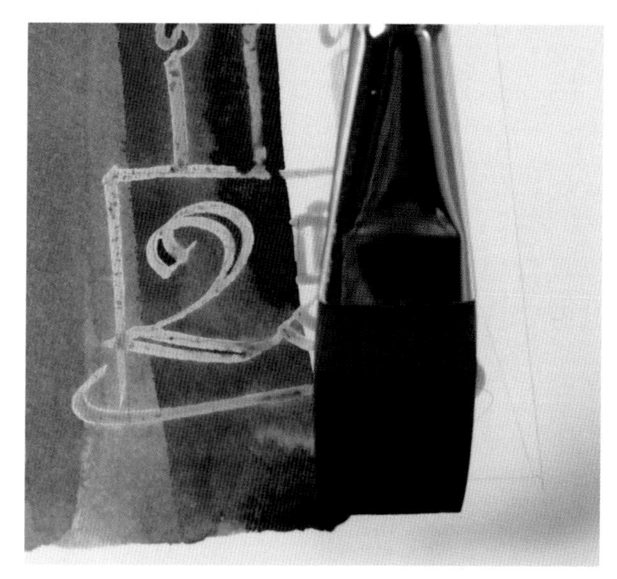

19 Debemos asegurarnos de que cada pincelada se superpone ligeramente a la anterior, así evitaremos que queden líneas blancas entre las pinceladas de la aguada.

18 Mojamos otra vez el pincel en la misma acuarela y, comenzando por abajo, lo llevamos hacia arriba para crear una banda de color al lado de la anterior. También podemos optar por aplicar la aguada en sentido horizontal, de izquierda a derecha primero y luego de derecha a izquierda.

20 Continuamos aplicando la aguada con ese sistema de pinceladas en las dos direcciones, y nos aseguramos de que los bordes de la goma líquida queden pintados. Observará variaciones sutiles de color entre una pincelada y otra; esto es una característica deseable, por lo que no hemos de preocuparnos de retocar las pinceladas más apagadas, si no se embolsaría la pintura.

4 Para escribir los nombres curvados, dibujamos primero la curva o, si nos resulta más fácil, dos líneas paralelas curvadas que nos sirvan de pauta para escribir. Vamos girando el papel con el fin de tener la mano siempre en una postura cómoda para escribir.

5 Procuraremos mantener un estilo de escritura armonioso y fluido incluso para escribir letras pequeñas, como la "l" y la "d".

6 Tomamos otra hoja de papel vegetal y dibujamos en ella las pautas o líneas de escritura. Fijamos el papel en su sitio con cinta adhesiva. Empleamos un lápiz de mina dura o un bolígrafo y una escuadra en forma de T para dibujar las líneas con todo cuidado y esmero. Para las líneas curvas, sujetamos a un tiempo dos lápices o las dibujamos a mano alzada poniendo gran atención.

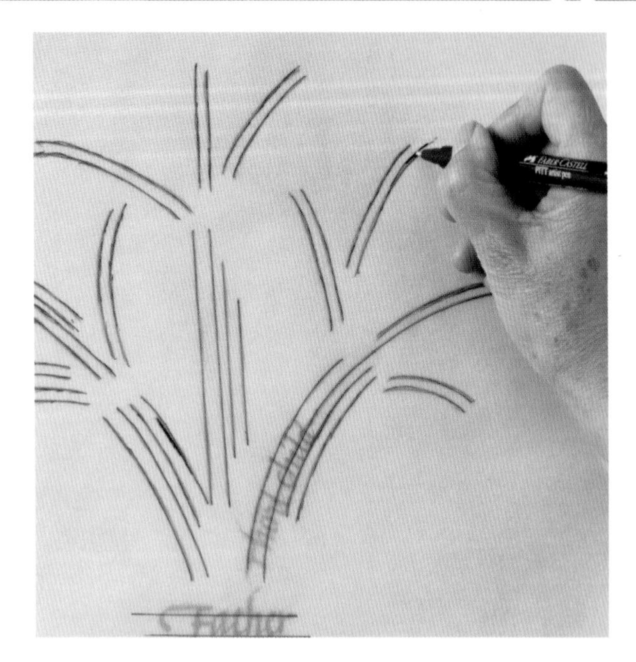

7 Para pasar las líneas (lo que llamamos "pautar") al papel que hemos elegido para el trabajo definitivo, colocamos una hoja de papel de grafito boca abajo entre el papel vegetal con las líneas y nuestra superficie definitiva de trabajo. Con un lápiz de mina dura o un bolígrafo repasaremos las líneas, así como para la primera y la última letra de cada nombre, lo que nos ayudará a situarlos en el árbol.

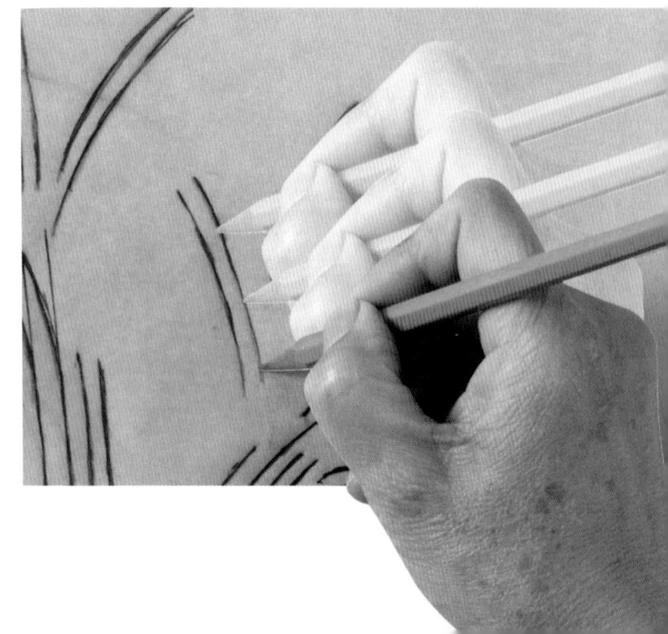

21 Continuamos hasta cubrir las tres invitaciones del papel, asegurándonos de ir pintando el papel más allá de las dimensiones de la tarjeta que hemos dibujado. Luego dejamos que la pintura se seque por completo. Deberemos poner plano el papel grueso para que se seque bien y no se arrugue.

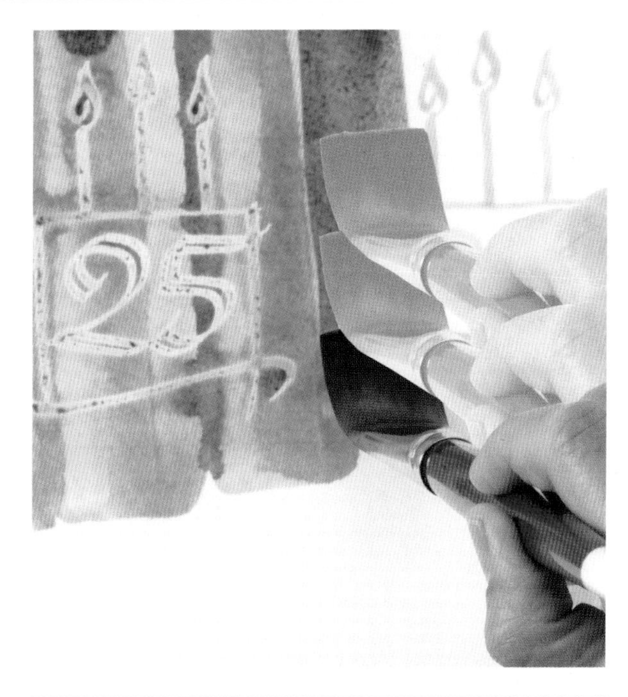

23 Recortamos con cuidado nuestro diseño ya terminado, para lo que empleamos una regla de metal y un cúter o un escalpelo cortando en dirección hacia nosotros. A continuación, recortamos otra hoja de papel de color de gramaje alto, que sea un poco mayor que el diseño principal. Utilizamos la cola blanca de carpintero o la barra de pegamento para pegar el dibujo a la cartulina que le servirá de soporte.

22 A continuación, retiramos la goma líquida. En este ejemplo, hemos empleado una goma de crepé (a la venta en las tiendas de material de artes plásticas), pero podemos usar también una cinta adhesiva o, incluso, hacerlo con los dedos limpios.

24 Después dibujamos un diseño para el fondo. Rellenamos una pluma William Mitchell n.° 1½ o su equivalente con la goma líquida y cubrimos una hoja entera de papel de acuarela blanco con suaves florituras y ornamentos. Permitimos que la goma de reserva se seque por completo.

1 El árbol genealógico de la ilustración muestra las relaciones entre los miembros de una familia. Esbozamos a lápiz, sobre una hoja de papel cualquiera, un esquema del proyecto que tenga aproximadamente el mismo tamaño que va a tener nuestro trabajo. Podemos utilizar directamente los nombres de nuestros propios familiares. Corregimos las pruebas con cuidado y realizamos los ajustes que sean necesarios en el borrador hasta llegar a la composición definitiva.

2 Colocamos una hoja de papel vegetal sobre el esquema dibujado a lápiz y, para que no se desplace, lo fijamos con cinta adhesiva. Tomamos un rotulador o una pluma de punta ancha para escribir los nombres en caligrafía. (Todavía no se trata de la caligrafía final.)

3 Para cada generación sucesiva, elegimos una pluma ancha de un tamaño menor que el anterior. Apuntamos el número y la marca de cada pluma que empleemos, de modo que después podamos saber cuál hemos usado en cada generación.

25 Con un pincel ancho y de pelo suave pintamos, con la acuarela del color más claro, que ya habíamos preparado, trazos horizontales hacia un lado y otro hasta cubrir con pinceladas toda la página.

26 Dejamos que la acuarela se seque enteramente. Empleamos la goma de crepé, la cinta adhesiva o los dedos para retirar la goma líquida.

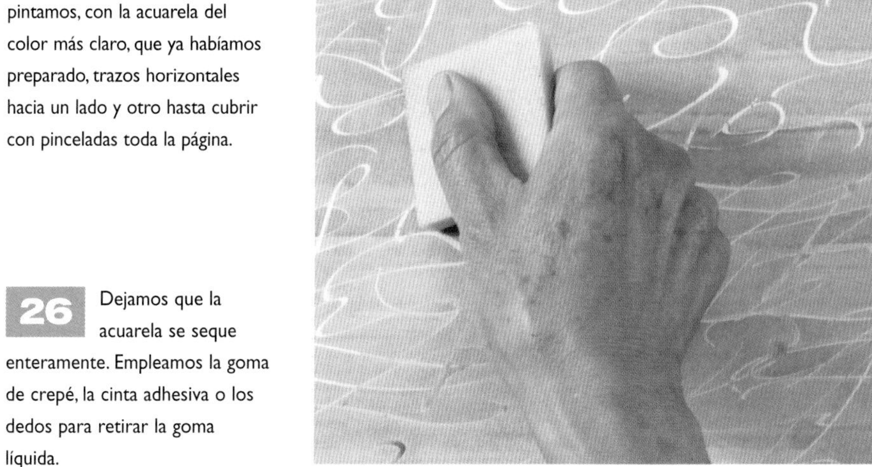

27 A continuación, doblamos por la mitad un trozo del mismo papel del paso 23, que será la tarjeta sobre la que montaremos el diseño de la invitación. La parte delantera de esa tarjeta ha de ser unos 5 cm mayor, tanto de ancho como de largo, que el diseño de las velas y la tarta. Después recortamos un trozo del papel más ligero pintado con la acuarela para que quede ligeramente más pequeño que la cara anterior de la tarjeta doblada. Utilizamos la cola para pegar las dos piezas.

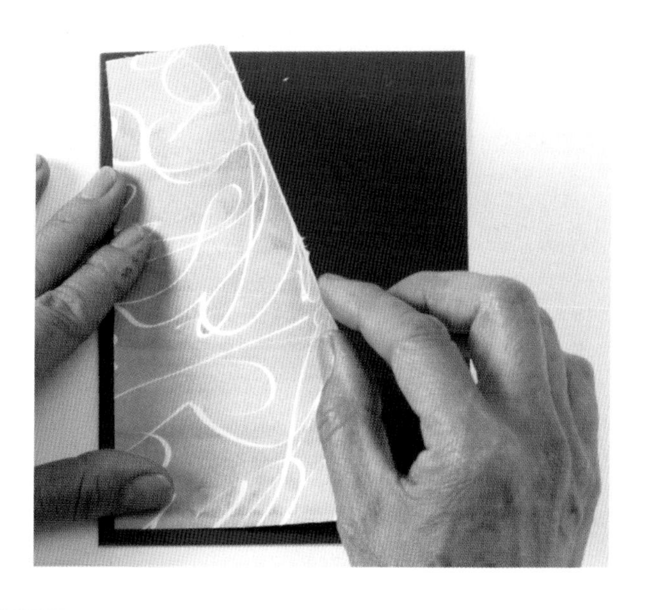

28 Después pegamos la invitación sobre el papel más claro, pintado con la aguada más clara. Comprobamos que hemos pegado todo en la posición adecuada y dejamos que la cola se seque completamente. La invitación está así lista para enviarla.

Proyecto 5: **árbol genealógico**

Materiales

cartabón
cartón para el paspartú
cinta adhesiva de papel
cuchilla para el paspartú
distintas plumas caligráficas de punta ancha
escuadra en forma de T
godet *o plato*
goma arábiga
goma de borrar
guache de color amarillo y verde
guache metálico u polvo de oro
hojas de árbol o planta pequeñas y medianas
lápiz de mina dura o bolígrafo
papel (trozos sueltos para pruebas)
papel de buena calidad
papel de copiar de grafito
papel secante
papel vegetal
pincel sencillo o esponja
pintura a la acuarela o tinta negra
rotulador

Proyecto 3: **poema de bolsillo**

Materiales

alfombrilla sobre la que cortar
cartón delgado
cinta dorada
cola blanca de carpintero
escalpelo
goma de borrar
guache dorado
lápiz
papel de gramaje medio o alto en dos colores distintos
papel kraft o de embalar
papel secante
pincel pequeño fino
pincel sencillo
plegador de hueso
pluma caligráfica mediana o pequeña
regla
tijeras
tinta o guache

22 Para quitar las burbujas de aire, colocamos una hoja limpia de papel sobre el trabajo. Lo prensamos poco a poco con las palmas de las manos, desde el centro hacia los bordes. Eso ayudará también a pegar de manera firme y uniforme nuestra caligrafía a la tapa del álbum.

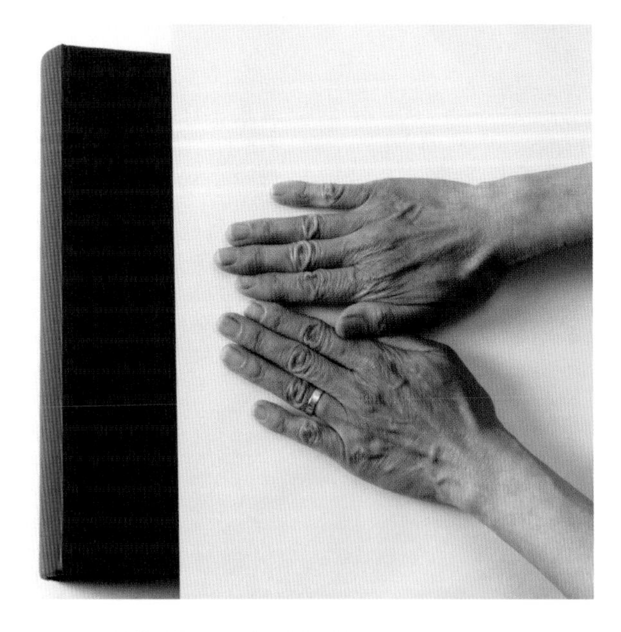

24 Antes de doblar el margen lateral sobre el cartón, aplicamos con un pincel una capa fina de cola blanca de carpintero en la esquina que no está encolada. Doblamos el borde sobre el cartón y, una vez más, utilizamos el plegador de hueso.

23 Abrimos el álbum y utilizamos el escalpelo para cortar la punta, lo que nos permitirá unir los lados del papel, teniendo en cuenta el grosor de la tapa de cartón del álbum. Doblamos los márgenes superior e inferior encolados sobre el cartón. Para que los bordes queden bien, utilizamos el plegador de hueso.

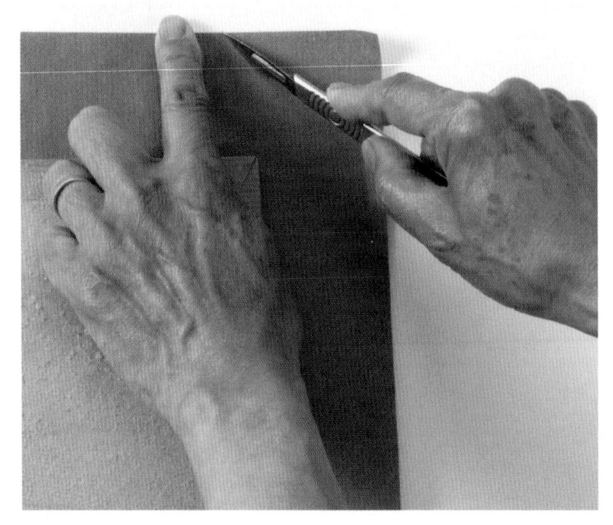

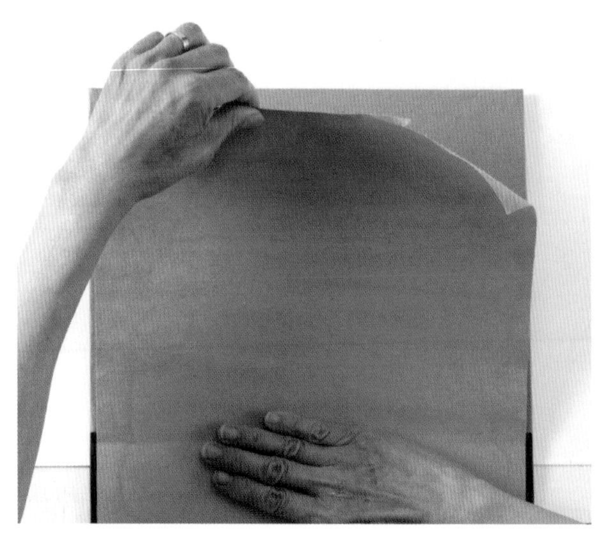

25 Por último, cortamos con las tijeras una hoja de papel *kraft* apenas un poco menor que la tapa del álbum y aplicamos sobre ella una capa delgada y uniforme de cola blanca de carpintero. Apretamos bien el papel sobre la cara interior de la tapa para esconder los dobleces y conseguir un acabado más cuidado.

1 Tomamos una hoja grande de papel donde escribir y le damos la vuelta, de modo que el grano del papel quede vertical (véase página 70, paso 18), paralelo a los pliegos de este libro con forma de acordeón que nos disponemos a hacer, y cortamos una tira de papel de unos 5 cm de ancho. Para señalar la altura de las letras y de las líneas de corte, dibujamos a lápiz cuatro rayas horizontales en la tira de papel. Seleccionamos un verso de una poesía o una frase en prosa y calculamos dónde caerá cada palabra.

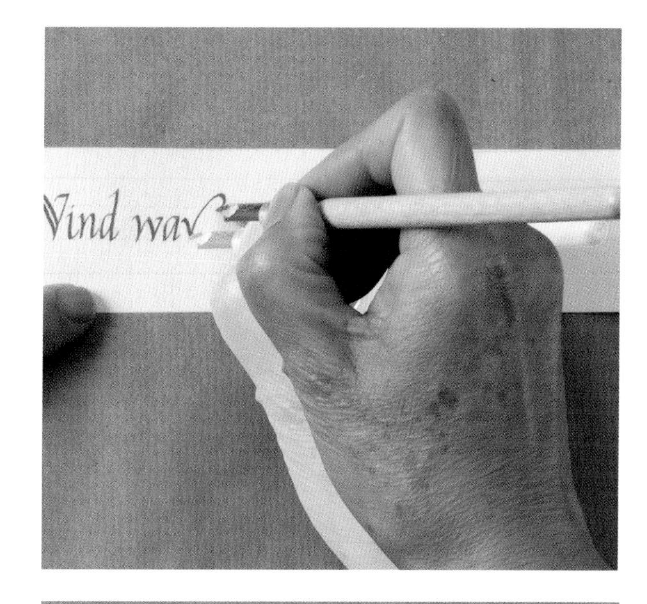

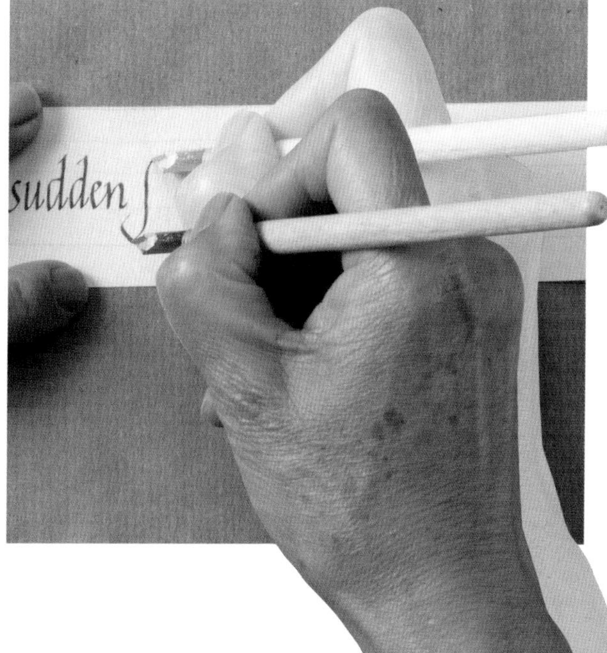

2 Podemos utilizar cualquier color de guache o de tinta que nos agrade. Se trata de un proyecto muy flexible, por lo que el tamaño de la pluma y del papel depederán de las preferencias creativas. Aquí hemos empleado una pluma William Mitchell n.° 3½ o su equivalente. Empezamos a escribir a unos 2,5 cm del margen izquierdo del papel.

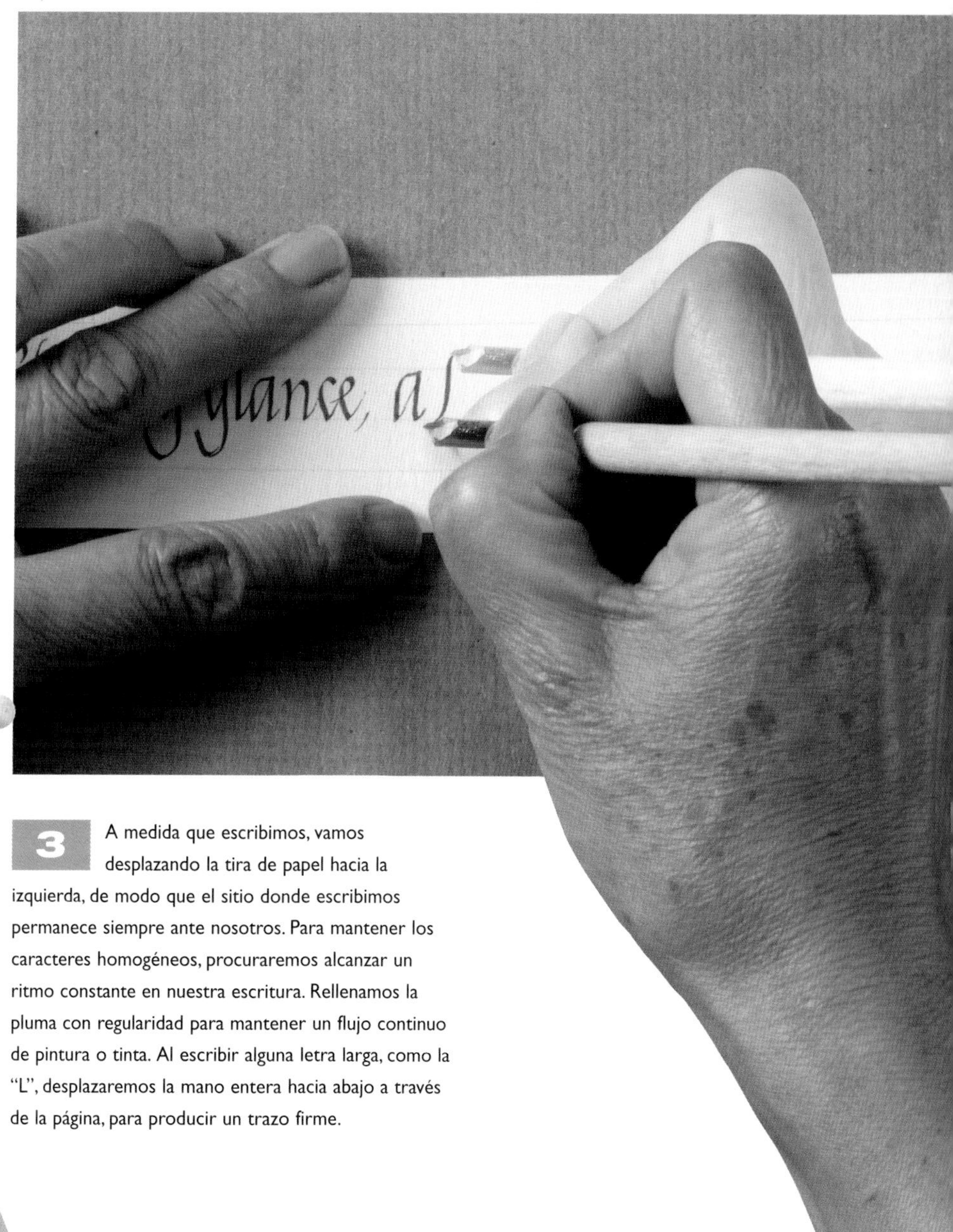

3 A medida que escribimos, vamos desplazando la tira de papel hacia la izquierda, de modo que el sitio donde escribimos permanece siempre ante nosotros. Para mantener los caracteres homogéneos, procuraremos alcanzar un ritmo constante en nuestra escritura. Rellenamos la pluma con regularidad para mantener un flujo continuo de pintura o tinta. Al escribir alguna letra larga, como la “L”, desplazaremos la mano entera hacia abajo a través de la página, para producir un trazo firme.

19 Recorremos con la pluma cargada con guache dorado los lados de la casilla. Cuando las letras estén secas por completo, borramos las líneas a lápiz.

20 Recortamos nuestro trabajo una vez finalizado, pero dejando suficiente margen en los bordes superior, inferior y derecho para poder forrar los cantos de la tapa del álbum. Alineamos con precisión el papel y señalamos su posición con el lápiz y nos cercioramos de nuevo.

21 Aplicamos después la cola blanca de carpintero en el reverso del papel. Primero probamos el pegamento en un pedazo del mismo papel en el que hayamos hecho alguna de las pruebas, para asegurarnos que la cola no lo traspasa. Cuando estemos satisfechos con el resultado, alineamos los márgenes del papel con las señales que hemos hecho con el lápiz.

4 Escribimos la letra "y" con una floritura. Efectuamos el primer trazo hacia abajo, de izquierda a derecha, y luego lo llevamos hacia arriba, como si se tratase de una letra "v" con ornamento. Luego situamos la pluma en la base de la "v" y arrastramos hacia abajo para formar la cola de la letra "y".

5 Después de terminar de escribir nuestro poema, dejamos que la pintura o la tinta se seque por completo. Cortamos con cuidado el papel de la longitud apropiada, según lo larga que sea nuestra frase o verso, y empleamos una alfombrilla para cortarlo sobre ella, además de una regla de metal y un escalpelo, siempre atentos a no herirnos los dedos. Si estamos usando un papel grueso, repasamos varias veces el corte hasta que el papel sobrante se desprenda.

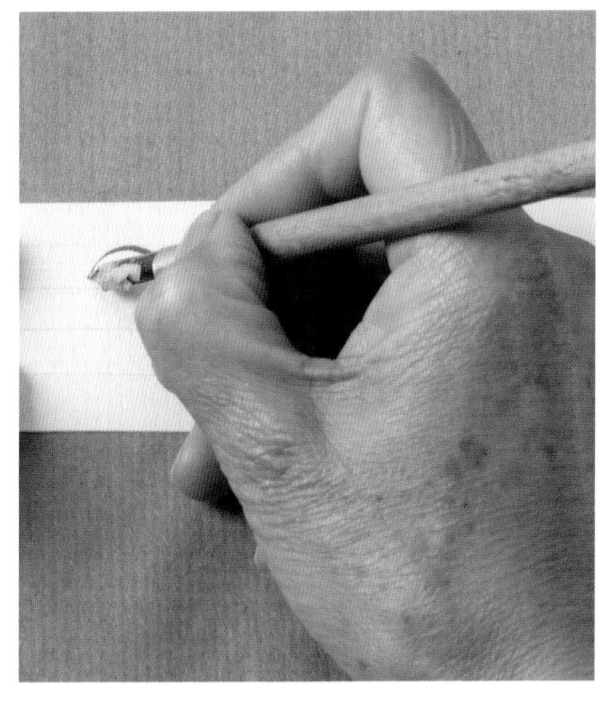

6 Para dar más belleza a nuestra caligrafía, mezclamos un poco de guache dorado con agua hasta obtener una consistencia lechosa. Rellenamos con él la pluma y proporcionamos más realce a la escritura decorando con florituras algunas letras. Además, podemos acentuar el contorno interior de algunas letras con el guache dorado.

7 Dejamos que la pintura se seque totalmente. La caligrafía ahora está terminada, con sus florituras y sus contornos interiores. Verificamos que la ortografía sea correcta, pero todavía no borramos las líneas que hemos trazado a lápiz.

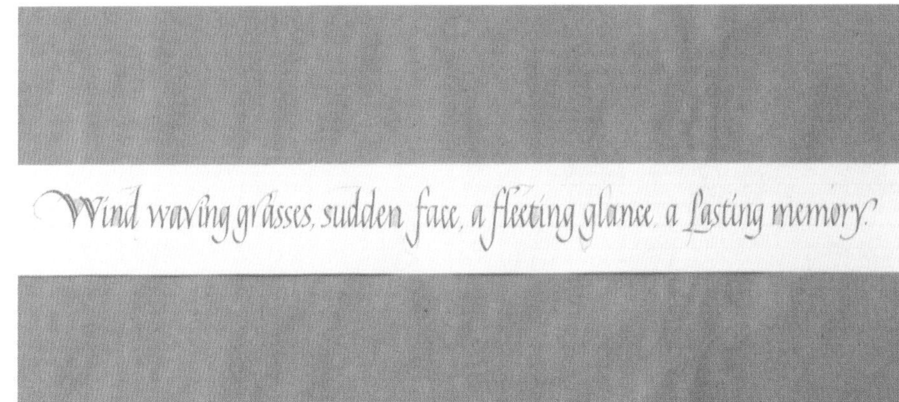

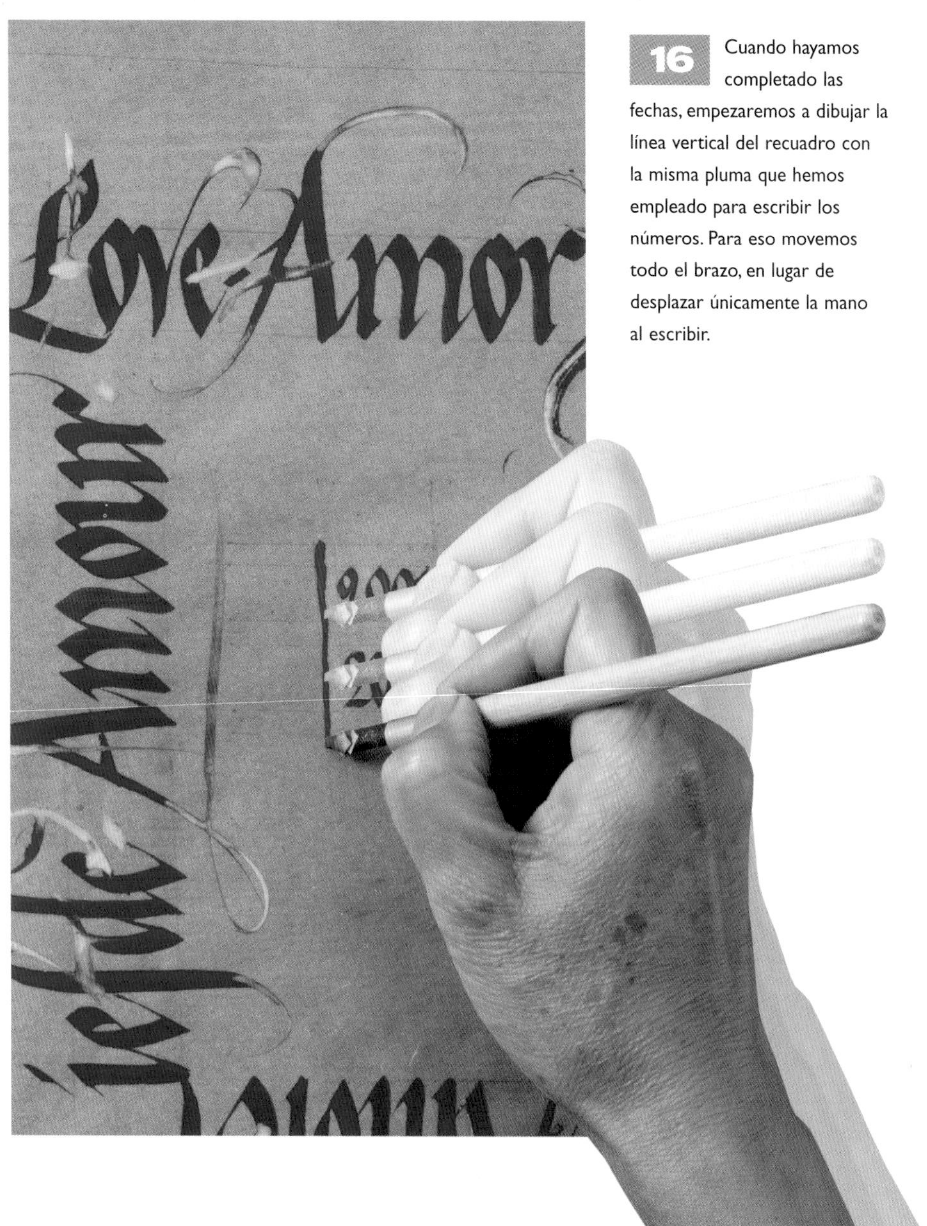

16 Cuando hayamos completado las fechas, empezaremos a dibujar la línea vertical del recuadro con la misma pluma que hemos empleado para escribir los números. Para eso movemos todo el brazo, en lugar de desplazar únicamente la mano al escribir.

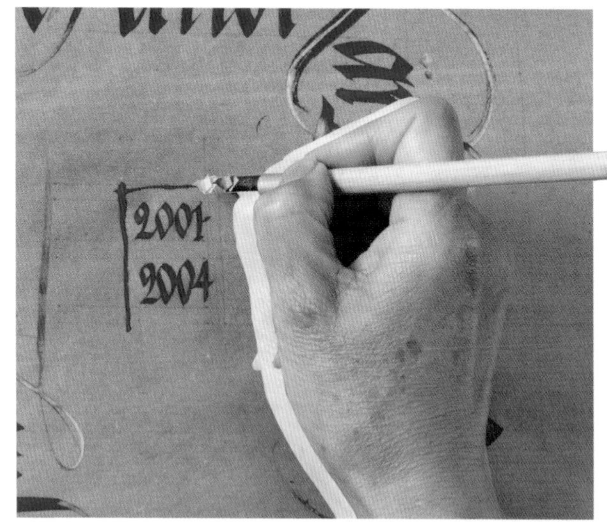

17 Aquí hemos dibujado las líneas a pulso. Eso significa que no nos salen perfectamente rectas.

Si no nos agrada ese efecto, podemos utilizar la regla para trazar líneas rectas.

18 Una vez que terminemos de dibujar el recuadro, lavamos la pluma y la llenamos después con un poco de guache dorado. Empezamos a decorar el recuadro rojo.

8 Doblamos la tira de papel como si fuera un acordeón. Ponemos el papel boca abajo y lo doblamos por la mitad. Lo abrimos y llevamos las puntas hasta el pliegue central y doblamos. Ponemos la tira otra vez hacia arriba y llevamos las puntas hasta la línea que señala el cuarto de la tira y doblamos. Realizamos otros dos pliegues desde el centro hasta el pliegue de la cuarta parte de la tira. La tira, ha quedando doblada en ocho partes.

9 Mantenemos el papel doblado, de modo que quede plano. Para la tapa del libro, seleccionamos un trozo de cartón fino y lo giramos para que los granos se sitúen en la vertical. Cortamos dos trozos que tengan unos 6 mm más de ancho y de largo que el papel doblado.

10 Después, confeccionamos un papel decorado para cubrir el cartón. Elegimos un papel de gramaje medio o ligero y lo colocamos con el grano en vertical. Con un poco de guache dorado y un pincel pequeño y fino dibujamos algunas líneas ligeras que sugieran la hierba mecida por el viento. Empezamos por la base de las hojas y realizamos movimientos hacia arriba para formar cada brizna de hierba.

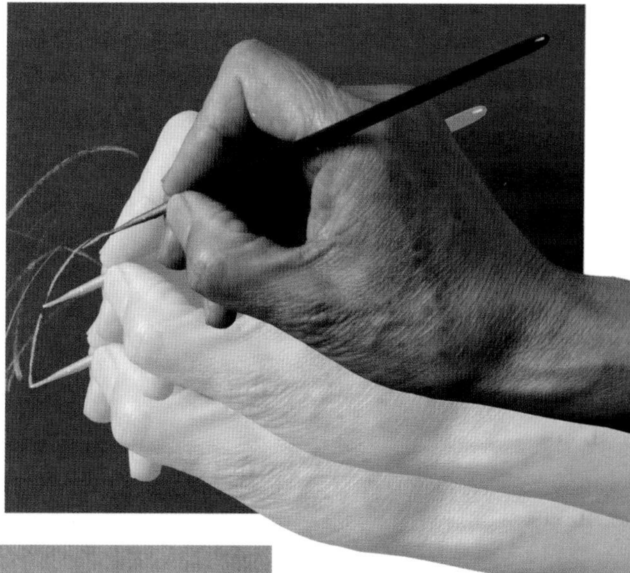

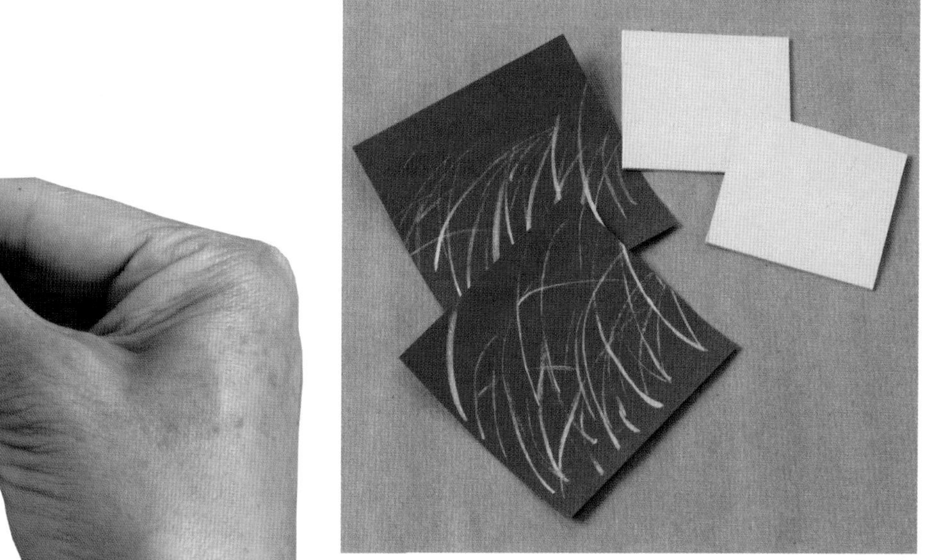

11 Cortamos el papel con los trazos dorados en dos cuadrados que midan unos 2,5 cm más de ancho y de largo que el cartón.

13 Cuando hayamos finalizado la escritura grande, ensayaremos la escritura de los números dentro de un recuadro. Para ello recortaremos una tarjeta de papel de embalar del mismo tamaño que el recuadro, que nos permitirá probar varias posiciones para las fechas en la cubierta. Escribiremos con una pluma William Mitchell n.° 1 o una Speedball C.2 o su equivalente, cargada con guache de color rojo. Después marcaremos a lápiz el lugar elegido.

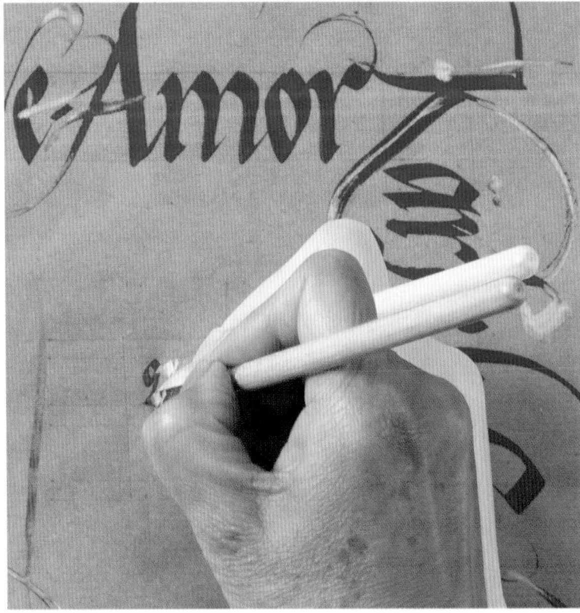

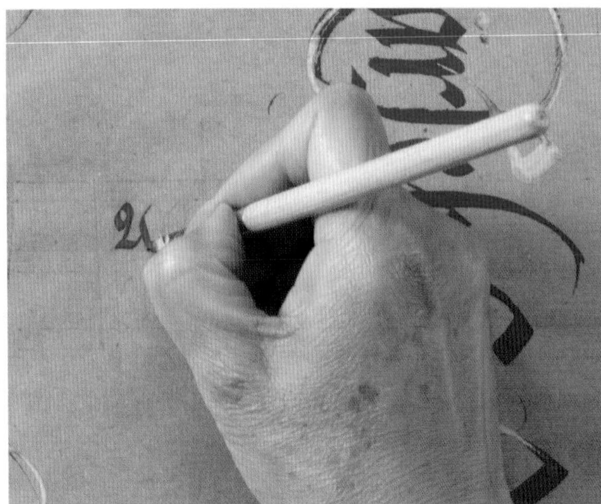

14 Para escribir el número "0" empleamos la misma técnica que con la letra "o". En este estilo caligráfico, la forma básica de todas las letras, así como de los números, es la del diamante en punta.

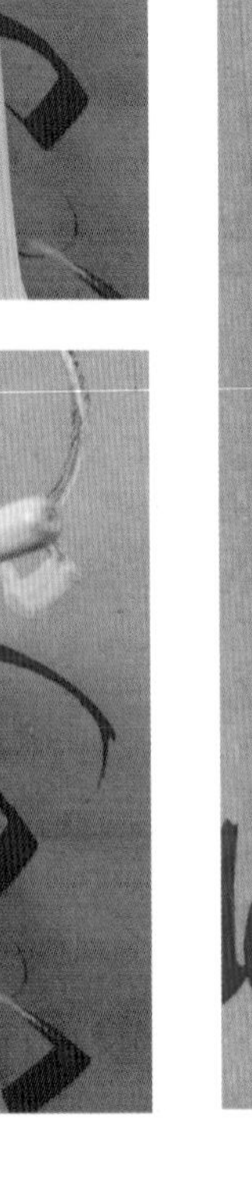

15 Cuando practicamos la caligrafía con una pluma más pequeña, sigue siendo igual de importante mantener un ángulo constante para poder obtener letras de un mismo grosor.

12 Damos la vuelta al papel decorado y colocamos el cartón en su centro. Cortamos con las tijeras las esquinas del papel decorado a 1 cm de cada esquina del cartón. Repetimos el procedimiento con el segundo trozo de papel decorado.

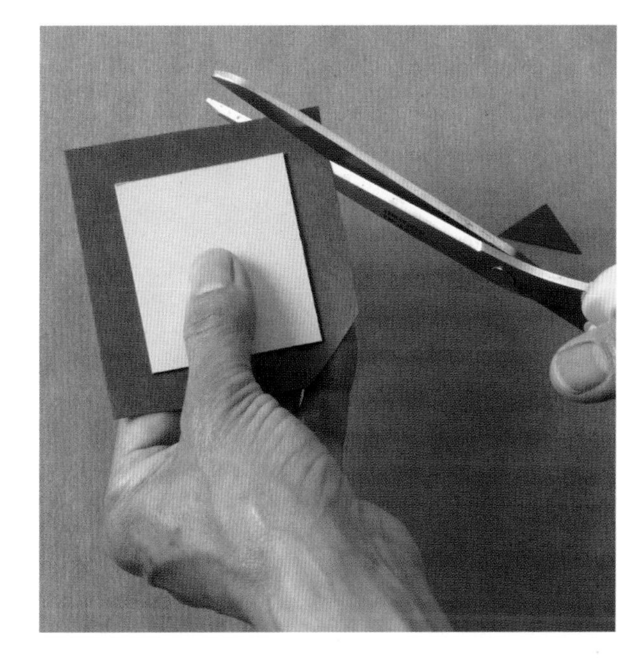

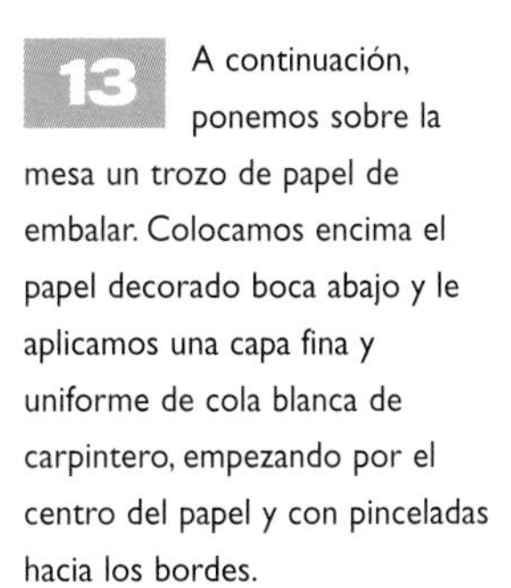

13 A continuación, ponemos sobre la mesa un trozo de papel de embalar. Colocamos encima el papel decorado boca abajo y le aplicamos una capa fina y uniforme de cola blanca de carpintero, empezando por el centro del papel y con pinceladas hacia los bordes.

14 Situamos el cartón en el centro del papel con pegamento y lo prensamos con firmeza. Nos aseguramos de que el cartón esté bien centrado.

15 Doblamos hacia dentro los bordes más largos y tiramos del papel hacia el centro, para que los bordes queden bien doblados. Añadimos un poco de pegamento en cada esquina, donde el papel se sobrepone. Repetimos el procedimiento con los otros bordes. Le damos la vuelta y colocamos un trozo de papel de embalar encima. Quitamos las burbujas de aire apretando desde el centro hacia afuera. Repetimos el proceso con la otra cubierta.

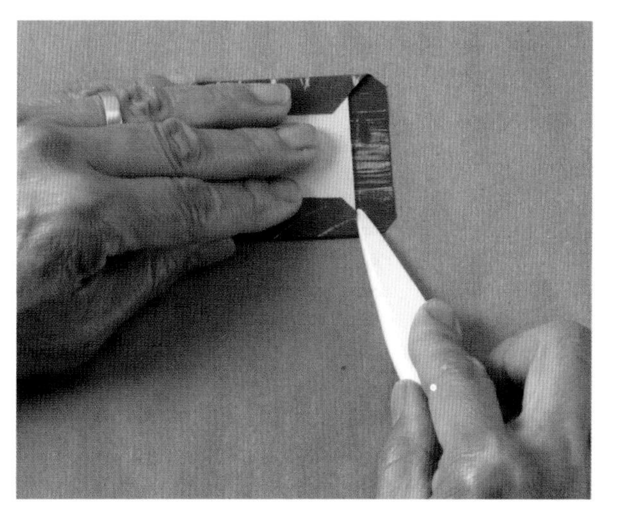

9 La letra "o" está formada por dos trazos. Empezamos el primero por el extremo superior de la letra y movemos la pluma hacia la línea de base en la dirección contraria a las agujas del reloj. Volvemos a situar la pluma en lo alto y comenzamos el segundo trazo deslizando la pluma hacia abajo en la dirección de las agujas del reloj hasta encontrar la línea de base, lo que genera un carácter con forma de diamante.

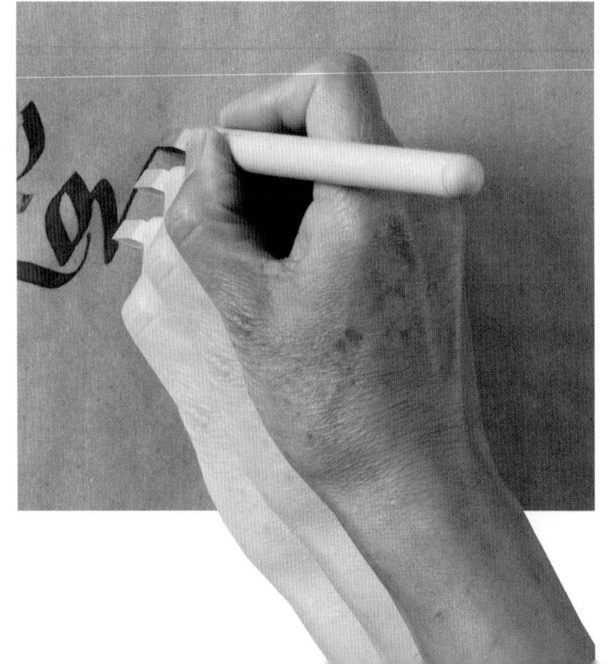

10 Escribimos la letra "v" con un solo trazo. Primero dirigimos la pluma hacia abajo y luego, tras disminuir la presión sobre el papel, la llevamos hacia arriba moviendo todo el brazo hasta más arriba que las demás letras, y terminamos el carácter con una floritura. También podemos escribir esa letra con dos trazos.

11 Estas plumas caligráficas permiten escribir las letras con todo el ancho de la punta o bien inclinándolas para escribir con una de las esquinas de la punta. Escribir con los ángulos puede originar resultados interesantes, algo que hemos de considerar como una opción en futuros trabajos.

12 Para hacer la floritura al final de la letra "e" escribimos con uno de los vértices de la pluma y la llevamos hacia arriba para trazar una raya delgada y estrecha.

16 Tomamos unos 12,5 cm de cinta dorada, con la que haremos el lazo que cerrará el libro, y la colocamos sobre una hoja de papel *kraft*. Con el pincel sencillo, aplicamos un poco de cola blanca de carpintero en mitad de la cinta y en el medio de la parte interior de la cubierta. Colocamos la cinta en su posición en la cubierta. Esa tapa será la contracubierta del libro.

18 Realizamos cortes suaves y repetidos con el escalpelo hasta lograr cortar el papel. Hacemos los cortes despacio y con cuidado. Repetimos el procedimiento en la línea que hemos dibujado debajo de la caligrafía, siempre atentos para que la lámina del escalpelo no se nos escape. Después borramos las líneas a lápiz con la goma de borrar.

17 Para cortar los pliegues opuestos del libro, desdoblamos la primera y la última página (éstas no las cortaremos). Con el libro sobre la alfombrilla de cortar, ponemos la regla sobre la segunda página, a la altura de la línea horizontal que dibujamos antes, por encima de la caligrafía. Con un escalpelo hacemos un corte, comenzando justo después de la línea central de la página. En este libro, cada página tiene 5 cm de ancho, por lo que cortamos 1,8 cm hacia el margen derecho de la página.

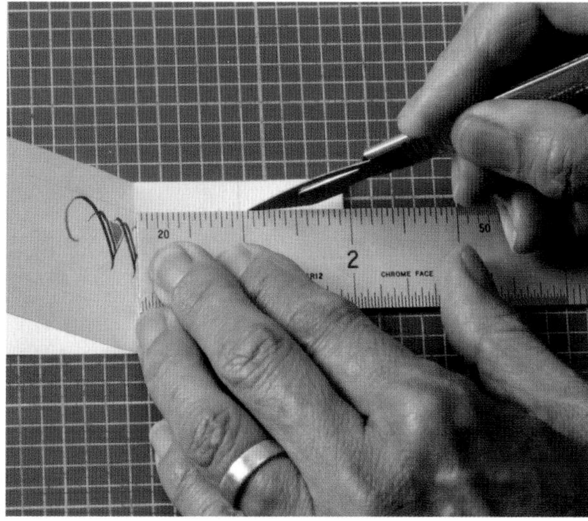

19 Antes de pegar el libro en forma de acordeón a la tapa, colocamos un pedazo de papel de embalar debajo de la primera página del libro. Envolvemos, asimismo, el resto del libro en ese papel. La finalidad es evitar que el pegamento toque las otras páginas y las manche.

5 Escribimos la letra "e" con dos trazos. El primero es una raya hacia abajo, en dirección opuesta a las agujas del reloj, para hacer después la curva posterior de la letra. El segundo trazo comienza arriba y baja en la dirección de las agujas del reloj para cerrar la cabeza de la letra "e". Esas letras están basadas en la letra "o" en forma de diamante.

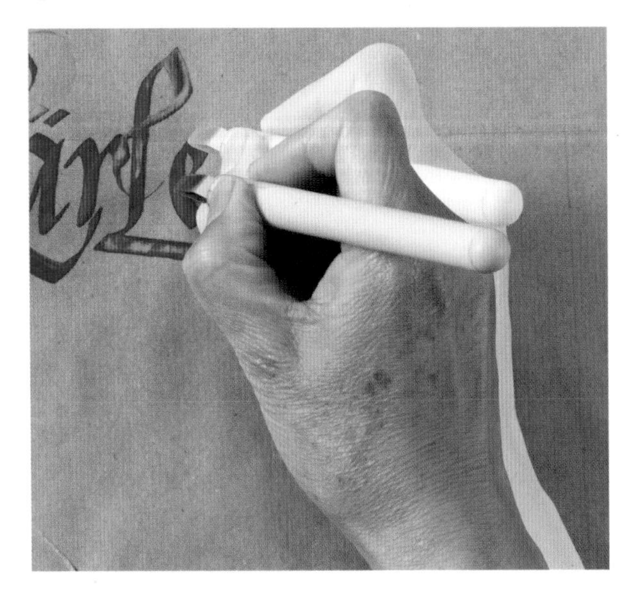

6 Una vez que hayamos terminado de escribir la letra "k", dibujamos inmediatamente una floritura con el guache dorado sobre la pintura roja empleando la segunda pluma. Con eso, el color dorado inundará libremente el rojo.

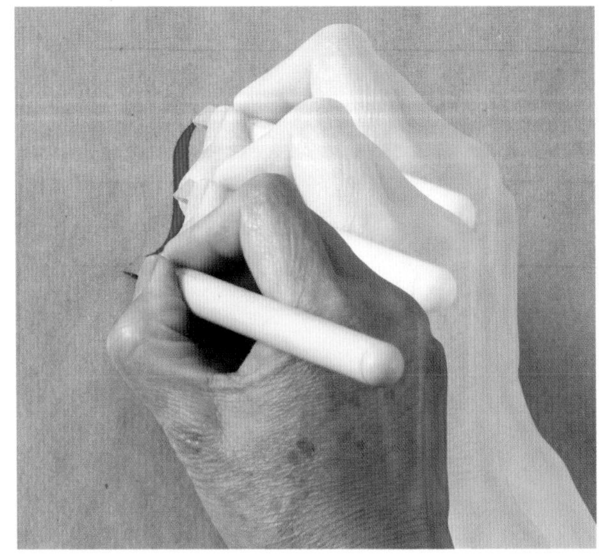

7 Cuando hayamos finalizado un lado del rectángulo, giramos el papel para comenzar una nueva línea de escritura. Debemos tener en cuenta que las florituras quedarán fuera de los dibujos a lápiz que hemos realizado.

8 El ápice de la letra mayúscula "L" es semejante a la forma de la letra "o" en este estilo alfabético puntiagudo. Después escribimos la letra "o". Tomamos precauciones para no emborronar con la mano la pintura húmeda.

20 Ahora el libro está totalmente cubierto por papel *kraft*, y sólo es visible la página que hemos de pegar en la tapa delantera. Aplanamos el libro y verificamos otra vez si es la página correcta la que vamos a pegar al dorso de la portada del libro, y asimismo si el diseño de la portada está hacia arriba.

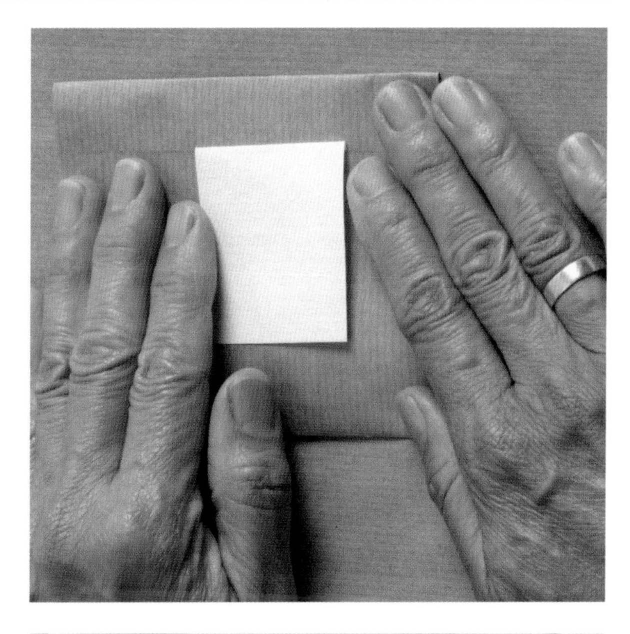

22 Retiramos el papel *kraft* y colocamos con rapidez la página con el pegamento bien centrada en el interior de la portada. Hemos de tener cuidado para que la humedad del pegamento no manche la caligrafía.

21 Aplicamos en la página una delgada capa de la cola de carpintero empleando el pincel sencillo. Empezamos por el borde doblado y avanzamos hacia el borde cortado. Comprobamos que los márgenes están cubiertos por completo por el pegamento.

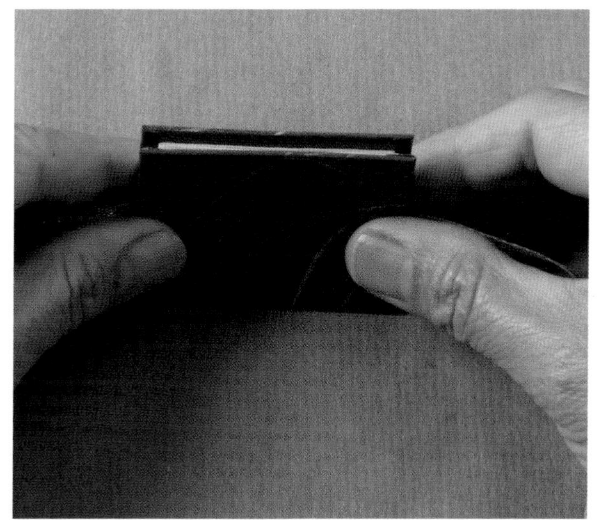

23 Repetimos los pasos 19-22 para pegar la última página al dorso de la contraportada, teniendo cuidado de colocar bien la cinta dorada. Después, comprobamos que las esquinas, tanto de la portada como de la contraportada, se encuentran bien alineadas.

1 Marcamos en el papel el tamaño de la tapa que vamos a forrar. El recuadro ha de ser lo bastante grande para cubrir tres de los bordes de la cubierta, y debemos cortar el margen izquierdo calculando que alcance la tela roja de la encuadernación. Trazamos con el lápiz las pautas para escribir, de manera que formen un rectángulo siguiendo el contorno de la tapa. Elegimos las palabras que usaremos (aquí el vocablo "amor" en distintas lenguas) y decidimos su colocación.

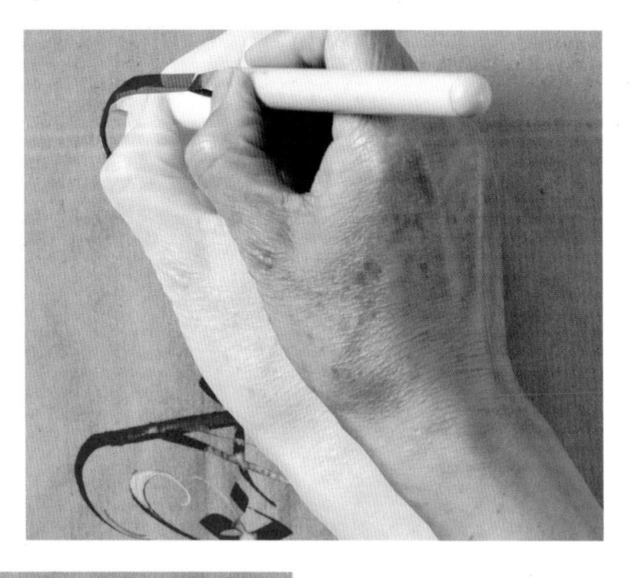

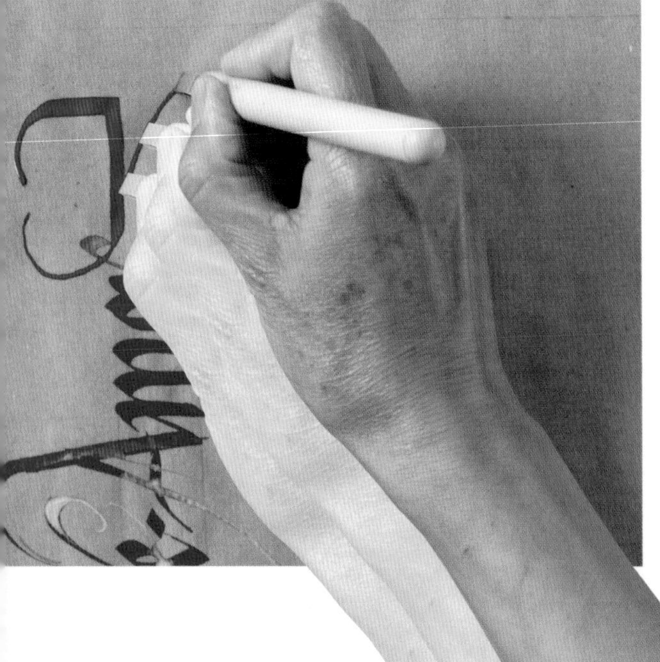

2 Colocamos el guache de color rojo y el dorado en *godets*. Con un pincel sencillo, rellenamos una de las plumas automáticas con el guache rojo y comenzamos a escribir. Adornamos con florituras algunas letras, como la "K" mayúscula. Movemos todo el brazo al trazar la floritura horizontal y el asta vertical de esa letra, y después llevamos la pluma hacia arriba para trazar el asta diagonal.

3 Completamos la letra "K" con una decoración lineal en dorado, paralela al asta vertical. Para escribir la letra "a", después de trazar la parte izquierda de la letra, arrastramos la pluma hacia arriba para dibujar una diagonal ascendente que cierre la letra y terminamos con un asta descendente vertical.

4 Al escribir las letras, debemos procurar mantener la pluma en un ángulo constante desplazando todo el brazo, en lugar de mover solamente la mano. Si lo hacemos, nos aseguramos de que las astas, como la de la letra "l", mantendrán el mismo grosor desde arriba hasta abajo en todo el trazo. Lo mismo vale para los dos trazos cortos paralelos que forman la diéresis sobre la letra "a".